I0730708

LA LÉGENDE

D'UN PEUPLE

POÉSIES CANADIENNES

LA LÉGENDE

D'UN PEUPLE

PAR

LOUIS FRÉCHETTE

Avec une Préface de Jules CLARETIE

> Dans l'Inde on avait pu admirer
> quelques grands hommes; ici ce
> fut tout un peuple qui fut grand.
>
> Henri Martin.

PARIS

A LA LIBRAIRIE ILLUSTRÉE

7, RUE DU CROISSANT, 7

A LA FRANCE !

Mère, je ne suis pas de ceux qui ont eu le bonheur d'être bercés sur tes genoux

Ce sont de bien lointains échos qui m'ont familiarisé avec ton nom et ta gloire.

Ta belle langue, j'ai appris à la balbutier loin de toi.

J'ose cependant, aujourd'hui, apporter une nouvelle page héroïque à ton histoire déjà si belle et si chevaleresque.

Cette page est écrite plus avec le cœur qu'avec la plume.

Je ne te demande pas, en retour, un embrassement maternel pour ton enfant, hélas ! oublié.

Mais permets-lui au moins de baiser, avec attendrissement et fierté, le bas de cette robe glorieuse qu'il aurait tant aimé voir flotter auprès de son berceau.

L. F.

PRÉFACE

Le 5 août 1880, dans une séance publique, M Camille Doucet, parlant au nom de l'Académie, proclamait, aux applaudissements de tous, le nom d'un poète canadien devenu, ce jour-là, lauréat de l'Académie française Je me souviens encore de la curiosité éveillée dans l'auditoire tandis que le très éloquent secrétaire perpétuel racontait le passé du poète dont on couronnait les *Poésies Canadiennes* — canadiennes, c'est-à-dire françaises. « Jeune encore, disait M. Camille Doucet, M. Louis Fréchette, tour à tour avocat et journaliste, eut en dernier lieu, pendant cinq ans, l'honneur de représenter le comté et la ville de Lévis au Parlement fédéral. Il n'appartient plus aujourd'hui qu'à la littérature, et, pendant que ses vers nous apprenaient a le connaître, un grand drame de sa composition obtenait un succès retentissant sur le théâtre français de Montréal. C'est en français, messieurs, qu'on parle et qu'on pense dans ce pays jadis français que nous aimons et qui nous aime. »

Et les regards cherchaient dans l'assemblée le poète
dont parlait le rapporteur : « Est-il là, M. Fréchette ? Comment est-il ? Pouvez-vous me le montrer ? » M. Fréchette
était là, en effet, mais caché, modestement dissimulé dans
la foule et savourant délicieusement la joie de cette acclamation publique Presque au lendemain de cette journée
où la récompense de l'Académie l'avait signalé à l'attention
des lettrés (nous connaissions ses vers avant ce succès
officiel), M Fréchette quittait Paris, malade, et comme redoutant de ne plus revoir les siens au foyer de famille

Il est resté sept ans sans revenir en France, et il nous
arrive aujourd'hui, apportant, du pays qui l'a vu naître,
un nouveau livre écrit à la gloire de ses aieux. La *Légende
d'un Peuple !* Quel plus beau titre et quelle plus noble idée !
Ce peuple canadien, dont le sang est le nôtre, le voici
qui nous déroule, par la voix inspirée d'un de ses fils, les
gloires, les sacrifices, les douleurs, les espérances de son
histoire.

> O notre histoire, écrin de perles ignorées !

dit admirablement M. Fréchette.

Et cet écrin, dont voici des joyaux historiques, c'est
aussi notre histoire à nous, Français ; oui, c'est l'histoire
de nos pères morts, la richesse morale de nos frères vivants. La Légende d'un Peuple, c'est la légende de cette
terre qui porta pour nom la *Nouvelle France* et qui l'a

gardé, ce nom, comme un titre de fierté. Et, de Colomb à
Riel, M. Louis Fréchette recueille pierre à pierre le collier
des souvenirs. Après avoir évoqué les solitudes des jours
préhistoriques, il suit d'un cœur ardent, sur leur navire,
les compagnons de Jacques Cartier, dans la marche de cet
esquif dont on regarde avec piété les reliques à demi
pourries dans une salle du musée de Saint-Malo; il assiste,
avec son imagination de poète, à la première moisson de
la terre vierge, à l'éclosion de Montréal, puis aux luttes
longues, incessantes, acharnées, entre *l'Anglais* et les colons de France, à cette guerre tenace et superbe où nos
soldats abandonnés disputent aux régiments de la Grande-
Bretagne ce pays découvert par les matelots malouins et
où la France avait planté son épée à côté de la croix.

Quelle guerre! Et comme la France d'alors l'ignore!
D'Argenson nous a tracé le tableau cruel de cette cour où
la Pompadour pérore et picore, tandis que le roi dit —
avec Voltaire, hélas! — qu'on n'a guère à se soucier de
quelques arpents de neige. On meurt cependant, là-bas, sur
cette neige rougie. On y tombe bravement, élégamment,
à la française. Nos soldats y vont au rempart en sortant
d'un bal, et si les officiers portent des manchettes, c'est
pour mieux étancher le sang de leurs blessures.

Tout dans cette lutte est épique. Les deux chefs d'armée
expirent le même jour, sur le même champ de bataille, et,
tandis que les Anglais s'empressent autour du général
Wolfe mortellement frappé, Montcalm rentre à Québec,

pâle et déjà mourant sur son cheval ; et les femmes, en le voyant passer, livide, ensanglanté, disent en se signant : « Grand Dieu ! *le Marquis* est mort !... » le marquis qu'on enterrera bientôt dans le trou creusé par une bombe anglaise. Chose plus inconnue : au siège de Québec, l'épée de La Pérouse a pu rencontrer celle du capitaine Cook. Ces deux artisans de civilisation se combattirent, et la destinée les rapprocha dans le péril comme elle devait les faire se ressembler dans la mort.

On connaît la fin de l'aventure : le Canada perdu, le duc de Lévis arrachant une fois encore, dans les plaines d'Abraham, la victoire aux généraux anglais, puis tout un peuple livré à la conquête :

> Et notre vieux drapeau, trempé de pleurs amers,
> Ferma son aile blanche et repassa les mers !...

C'est cette *Légende*, cette épopée que raconte en beaux vers, vibrants et sincères, le poète canadien Louis Fréchette. Je ne doute pas de l'accueil que réserve à ce livre le public français. Voilà certes un volume de poésie d'une valeur toute spéciale. C'est une page d'histoire qui est en même temps une œuvre inspirée. Très érudit, connaissant notre langue comme un Français lettré du temps de Louis XIV, et nourri, en outre, des lyriques du xixᵉ siècle, M. Fréchette est un indépendant, c'est-à-dire qu'il osera volontiers, qu'il risquera tel hiatus ou telle rime voulue pour donner plus d'accent à un vers ou plus d'harmonie à

une âme Il tient à séduire l'oreille avant les yeux, et
fera, par exemple, rimer *d'ou* avec *doux*. Il écrira ce vers

> On entendit partout ce cri   « A Notre-Dame! »

quand il lui serait très facile de mettre *ces cris*, c'est que
volontairement il cherche le mouvement, la vie, et ne s'as-
treint pas servilement à la règle, quand il croit que
d'une émancipation quelconque doit résulter une beauté.
Et en cela encore il est du libre pays qui fut une autre
France.

Qui *fut!* disons : qui est. Aux jours de la Saint-Jean,
lorsqu'au soleil des fêtes nationales, dans son étui de soie,
passe le vieux drapeau, le drapeau de Montcalm à la bataille de Carillon, le drapeau fleurdelisé troué de balles,
le cœur des Canadiens bat au nom de la France C'est la
France encore que les Canadiens évoquent dans la vieille
chanson saintongeoise, *Claire Fontaine*, qui est leur air na-
tional .

> Au bord d'une fontaine,
> Je me suis reposé!...

Lorsqu'ils parlent de notre patrie à un étranger qui dé-
barque, ils disent . « Vous venez *de chez nous?* » Le temps
passe, le temps de la France, c'est pour eux le temps *du
temps de nos gens*. Dans leurs cérémonies publiques on voit
flotter par les airs cent drapeaux tricolores pour un éten-

dard anglais, et quand, en 1870, sonna l'heure de la défaite, chaque malheur de la patrie était marqué, là-bas, par un plus grand nombre de volontaires qui demandaient à s'embarquer pour venir défendre la France, notre France et leur France !

Car elle continue, la *Légende du Peuple* que nous chante M. Louis Fréchette. Elle a trouvé au Canada son poète inspiré, elle trouvera ici son historien. Toute une littérature française germe et grandit par delà les mers, et je suis des yeux plus d'un ami qui nous envoie, en bon français, des maîtres livres.

La *Légende d'un Peuple* est un de ces livres-là.

Ce noble volume n'est pas un banal recueil de vers qui se fane en une saison ; ce livre est de ceux qui ajoutent une ligne, un chapitre à une histoire littéraire.

M. Louis Fréchette ne me pardonnerait pas de le comparer à Victor Hugo ; mais sa dédicace pourtant, à la mère patrie, m'a fait songer à l'envoi du poète exilé :

> Livre, qu'un vent t'emporte
> En France où je suis né...

C'est en France où sont nés ses ancêtres, et c'est à la France dont il enseigne le nom vénéré à son fils, que le poète canadien apporte son volume de vers. Tous ceux qui aiment les hauts sentiments, les accents fiers, les beaux vers et les grands souvenirs lui diront : Merci.

—

Et il m'a semblé, en lisant cette *Légende d'un Peuple*, non pas respirer une gerbe de plantes exotiques, mais aspirer le parfum de fleurs des champs, de nos champs français, cultivées là-bas dans *quelque arpent de neige*, dans la terre canadienne, la terre fraternelle, où, si nous n'avions plus de patrie, nous retrouverions encore la patrie, comme les bras d'une aïeule en cheveux blancs rendent parfois à l'orphelin les caresses de la mère.

Mais quoi! la France est là, vivante, renaissante, militante, et le battement de son cœur a son écho jusqu'au pays d'où revient M. Louis Fréchette, pour nous consoler et pour nous charmer.

JULES CLARETIE.

13 octobre 1887

PROLOGUE

L'AMERIQUE

Quand, dans ses haltes indécises,
Le genre humain, tout effaré,
Ébranlait les vastes assises
Du monde mal équilibré,

Étouffant les vieilles doctrines,
Quand le ferment des jours nouveaux
Montait dans toutes les poitrines,
Et germait dans tous les cerveaux,

Quand l'homme, clignant la paupière
Devant chaque rayon qui luit,
De son crâne frappait la pierre
Qui toujours retombait sur lui ;

Quand le siècle, dans son délire,
Passant la main sur son front nu,
Désespéré, tâchait de lire
Le problème de l'inconnu ;

Quand, sentant sa décrépitude,
Enfin, l'univers aux abois
De l'éternelle servitude
Songeait à secouer le poids ;

Sous ta baguette qui féconde,
Colomb, puissant magicien,
Tu fis surgir le nouveau monde
Pour rajeunir le monde ancien.

Oui, l'humanité vers l'abîme
Marchait dans l'ombre en chancelant,
Lorsque, de ton geste sublime,
Tu l'arrêtas dans son élan

Tu lui montrais, comme Moïse,
Au bout de ton doigt souverain,
La moderne terre promise
Un univers vierge et serein!

Hémisphère aux rives sauvages,
Étalant, comme l'Hélicon,
Libre des antiques servages,
Sous l'œil des cieux son flanc fécond.

Oui, toute une moitié du globe
Dénouant, spectacle inouï,
Les plis flamboyants de sa robe
Aux yeux du vieux monde ébloui!

Quel moment! quelle phase immense!
Ce pas, marqué par Jéhova,
C'est tout un passé qui s'en va,
Tout un avenir qui commence!

II

Amérique! — salut à toi, beau sol natal!
Toi, la reine et l'orgueil du ciel occidental!
Toi qui, comme Vénus, montas du sein de l'onde,
Et du poids de ta conque équilibras le monde!

Quand, le front couronné de tes arbres géants,
Tu sortis, vierge encor, du sein des océans,
Fraîche, et le sein baigné de lueurs éclatantes;
Quand, secouant leurs flots de lianes flottantes,

Tes grands bois ténébreux, tout pleins d'oiseaux chanteurs,
Imprégnèrent les vents de leurs âcres senteurs,
Quand ton mouvant réseau d'aurores boréales
Révéla les splendeurs de tes nuits idéales,
Quand tes fleuves sans fin, quand tes sommets neigeux,
Tes tropiques brûlants, tes pôles orageux,
Eurent montré de loin leurs grandeurs infinies,
Niagaras grondants! blondes Californies!
Amérique! au contact de ta jeune beauté,
On sentit reverdir la vieille humanité!

Car ce ne fut pas tant vers des rives nouvelles
Que l'austère Colomb guida ses caravelles,
Que vers un port sublime où tout le genre humain
Avec fraternité pût se donner la main,
Un port où l'homme osât, sans remords et sans crainte,
Vivre libre, au soleil de la liberté sainte!

C'est ce port idéal que Colomb a trouvé
Mais qui croira jamais que Colomb ait rêvé
Les bienfaits infinis dont il dotait notre ère?
Ah non! même en luttant contre le sort contraire,
Raillé par l'ignorance, en butte au préjugé,

Rebuté mille fois, jamais découragé,
Ce Génois immortel ou ce Corse sublime
Entrevoyait à peine une lueur infime
— Quand à San Salvador il pliait les genoux —
Du radieux soleil qu'il allumait pour nous.

Le héros, qui rêvait d'enrichir un royaume,
De l'immense avenir ne vit que le fantôme.
Sans doute il savait bien qu'un éternel fleuron
Dans les âges futurs brillerait à son front,
Que des peuples entiers salueraient son génie;
Mais Colomb, en cherchant la moderne Ausonie,
Ne fut — le fier chrétien en fit souvent l'aveu —
Qu'un instrument passif entre les mains de Dieu ;
Et, quand il ne croyait que suivre son étoile,
La grande main dans l'ombre orientait la voile !

III

Oh ! qu'ils sont loin, ces jours où le globe étonné
Écoutant, recueilli, d'un monde nouveau-né
    L'hymne d'amour puissant et calme,
Et voyait, au-dessus de l'abîme béant,
L'Amérique à l'Europe, à travers l'océan,
    Des temps nouveaux tendre la palme !

Que de grands buts atteints, d'horizons élargis,
De chemins parcourus, depuis que tu surgis,
    Terre radieuse et féconde,
Au bout des vastes mers comme un soleil levant,
Et que ton aile immense, ouverte dans le vent,
    Doubla l'envergure du monde !

Qu'il est beau de te voir, en ta virilité,
Aux antiques abus offrir la liberté
    Pour contrepoids et pour remède,

Et, vers chaque progrès les bras toujours ouverts,
Tout entière au travail, remuer l'univers
      Avec ce levier d'Archimède!

Amérique, en avant! prodigue le laurier
Au courage, au génie, à tout mâle ouvrier
      De l'œuvre civilisatrice.
Point de gloire pour toi née au bruit du canon!
Ce qu'il te faut un jour, c'est le noble surnom
      De grande régénératrice!

Alors le monde entier t'appellera : — ma sœur.
Et tu le sauveras! car déjà le penseur
      Voit en toi l'ardente fournaise
Où bouillonne le flot qui doit tout assainir,
L'auguste et saint creuset où du saint avenir
      S'élabore l'âpre genèse!

PREMIÈRE ÉPOQUE

NOTRE HISTOIRE

O notre Histoire ! — écrin de perles ignorées ! —
Je baise avec amour tes pages vénérées

O registre immortel, poème éblouissant
Que la France écrivit du plus pur de son sang !
Drame ininterrompu, bulletins pittoresques,
De hauts faits surhumains récits chevaleresques,
Annales de géants, archives où l'on voit,
A chacun des feuillets qui tournent sous le doigt,
Resplendir d'un éclat sévère ou sympathique
Quelque nom de héros ou d'héroïne antique !

Où l'on voit s'embrasser et se donner la main
Les vaillants de la veille et ceux du lendemain ;
Où le glaive et la croix, la charrue et le livre,
— Tout ce qui fonde joint à tout ce qui délivre, —
Brillent, vivant trophée où l'on croit voir s'unir
Aux gloires d'autrefois celles de l'avenir.

Les gloires d'autrefois, comme elles sont sereines
Et pures devant vous, vertus contemporaines !...

Salut d'abord à toi, Cartier, hardi marin
Qui le premier foulas de ton pas souverain
Les bords inexplorés de notre immense fleuve !
Salut à toi, Champlain ! à toi, de Maisonneuve !
Illustres fondateurs des deux fières cités
Qui mirent dans nos flots leurs rivales beautés !...

Ce ne fut tout d'abord qu'un groupe, une poignée
De Bretons brandissant le sabre et la cognée,
Vieux loups de mer bronzés au vent de Saint-Malo.
Bercés depuis l'enfance entre le ciel et l'eau,

Hommes de fer, altiers de cœur et de stature,
Ils ont, sous l'œil de Dieu, fait voile à l'aventure,
Cherchant, dans les secrets de l'océan brumeux,
Non pas les bords dorés d'eldorados fameux,
Mais un sol où planter, signes de délivrance,
A côté de la croix le drapeau de la France

Sur leurs traces, bientôt, de robustes colons,
Poitevins à l'œil noir, Normands aux cheveux blonds,
Austères travailleurs de la sainte corvée,
Viennent offrir leurs bras à l'œuvre inachevée .
Le mot d'ordre est le même, et ces nouveaux venus
Affrontent à leur tour les dangers inconnus
Avec des dévoûments qui tiennent du prodige.
Ils ne comptent jamais les obstacles; que dis-je?
Ils semblent en chercher qu'ils ne rencontrent pas
En vain d'affreux périls naissent ils sous leurs pas,
Vainement autour d'eux chaque élément conspire
Ces enfants du sillon fonderont un empire!

Et puis, domptant les flots des grands lacs orageux,
Franchissant la savane et ses marais fangeux,

Pénétrant jusqu'au fond des forêts centenaires,
Voici nos découvreurs et nos missionnaires !
Apôtres de la France et pionniers de Dieu,
Après avoir aux bruits du monde dit adieu,
Jusqu'aux confins perdus de l'Occident immense,
Ils vont de l'avenir jeter l'âpre semence,
Et porter, messagers des éternels décrets,
Au bout de l'univers le flambeau du progrès !

Appuyé sur son arc, en son flegme farouche,
L'enfant de la forêt, l'amertume à la bouche,
Un éclair fauve au fond de ses regards perçants,
En voyant défiler ces étranges passants,
— Embusqué dans les bois ou campé sur les grèves, —
Songe aux esprits géants qu'il a vus dans ses rêves.
Pour la première fois il tressaille, il a peur...
Il va sortir pourtant de ce calme trompeur ;
Il bondira, poussant au loin son cri de guerre,
Défendra pied à pied son sol vierge naguère,
Et, féroce, sanglant, tomahawk à la main,
Aux pas civilisés barrera le chemin !

Bien plus : prêtes toujours à s'égorger entre elles,

Et trouvant l'ancien monde étroit dans leurs querelles,
Pour donner à leur haine un plus vaste champ clos,
Les vieilles nations ont traversé les flots.
Albion, de la Gaule éternelle rivale,
Albion contre nous s'allie au cannibale,
Et durant tout un siècle, ô mon noble pays !
Veut ravir la victoire à tes destins trahis !

N'importe ! sur la vague, au fond des gorges sombres,
Par les gués, sous les bois, jusque sur les décombres
Des villages surpris, combattant corps à corps,
Avec la solitude et le ciel pour décors,
Mêlant, prêtre ou soldat qu'un même but attire,
Les lauriers de la gloire aux palmes du martyre,
Le bataillon est là, toujours ardent et fier,
Et, jaloux aujourd'hui des prouesses d'hier,
Il ne veut s'arrêter dans sa lutte immortelle
Qu'au jour où le drapeau de la France nouvelle
Flottera, libre et calme, étalant dans ses plis
Le légitime orgueil des saints devoirs remplis !

Mais le nombre devait triompher du courage.
Un roi lâche, instrument d'un plus lâche entourage,

Satyre au Parc aux cerfs, esclave au Trianon,
Plongé dans les horreurs de débauches sans nom,
Au gré des Pompadour jouant comme un atome
Le sang de ses soldats et l'honneur du royaume,
De nos héros mourants n'entendit pas la voix.
Montcalm, hélas! vaincu pour la première fois,
Tombe au champ du combat, drapé dans sa bannière.
Lévis, dernier lutteur de la lutte dernière,
Arrache encor, vengeant la France et sa fierté,
Un suprême triomphe à la fatalité!

Puis ce fut tout. Au front de nos tours chancelantes,
L'étranger arbora ses couleurs insolentes;
Et notre vieux drapeau, trempé de pleurs amers,
Ferma son aile blanche et repassa les mers!

L'enfant avait donné tout son sang goutte à goutte :
On lui fit du Calvaire alors prendre la route.
Trompée en son amour, blessée en son orgueil,
La pauvre nation sous ses voiles de deuil,
Les yeux toujours tournés vers la France envolée,
Berça de souvenirs son âme inconsolée.

Il lui fallut vider la coupe des douleurs .
Comme dans ses succès, noble dans ses malheurs,
Elle pleura longtemps, victime résignée ;
Mais, un jour, on la vit se roidir indignée,
Et défier soudain, du geste et de la voix,
Les tyrans acharnés aux lambeaux de ses droits.
La lutte, qu'on croyait à jamais conjurée,
Renaissait plus terrible et plus désespérée
Il fallait remer la France ou bien mourir !

Alors, las de porter le joug et de souffrir,
Ces rudes paysans, les yeux brûlés de larmes,
Ces opprimés sans chefs, sans ressources, sans armes,
Osèrent, au grand jour, pour un combat mortel,
Jeter à l'Angleterre un sublime cartel ! ..

O Dieu ! vous qui jugez et réglez toutes choses,
Vous qui devez bénir toutes les saintes causes,
Pourquoi permîtes-vous, sinistre dénoûment,
Après cette victoire un tel écrasement ?
Après cette aube vive un lendemain si sombre ?
Après ce rêve, hélas ! tout cet espoir qui sombre ?

Tant de sang répandu, tant d'innocents punis?
Pourquoi tant d'échafauds? Pourquoi tant de bannis?

Pourquoi?... Mais n'est-ce pas la destinée humaine?
N'est-ce pas là toujours l'éternel phénomène
Qui veut que tout s'enfante et vienne dans les pleurs?
Le froment naît du sol qu'on déchire; les fleurs
Les plus douces peut-être éclosent sur les tombes;
L'Église a pris racine au fond des catacombes :
Pas une œuvre où le doigt divin s'est fait sentir
Qui n'ait un peu germé dans le sang d'un martyr!

Nos franchises, à nous, viennent du sang des nôtres.
Oui, ces persécutés ont été des apôtres!
Quoique vaincus, ces preux ont pour toujours planté
Sur notre jeune sol ton arbre, ô Liberté!
Ils furent les soldats de nos droits légitimes;
Et, morts pour leur pays, ces hommes — les victimes
De ces longs jours de deuil pour nous déjà lointains —
Ont gagné notre cause et scellé nos destins!

Et maintenant, paisible en sa course intrépide,

Voyez cingler là-bas la corvette rapide,
Toujours le pavillon de France à son grand mât!
Elle navigue enfin sous un plus doux climat;
Une brise attiédie enfle toutes ses voiles,
Sous sa proue, un flot clair jaillit, gerbe d'étoiles,
Les reflets du printemps argentent ses huniers;
Sur sa poupe, au soleil, paisibles timoniers,
— Car la concorde enfin a complété son œuvre, —
Consultant l'horizon, veillant à la manœuvre,
Se prêtent tour à tour un cordial appui,
Les ennemis d'hier, les frères d'aujourd'hui!

Deux vaisseaux de haut bord, à la vaste carène,
Promenant sous les cieux leur majesté sereine,
Avec son équipage échangent, solennels,
De moments en moments des signaux fraternels.
Du haut de la vigie, un mousse a crié : — *Terre!*
Et, sous les étendards de France et d'Angleterre,
—Fiers d'un double blason que rien ne peut ternir,
Nos marins jettent l'ancre au port de l'avenir!

ANTE LUCEM

Qui pourrait raconter ces âges sans annales?
Quel œil déchiffrera ces pages virginales
Où, Dieu seul a posé son doigt mystérieux?
Tout ce passé qui gît sinistre ou glorieux,
Tout ce passé qui dort heureux ou misérable,
Dans les bas-fonds perdus de l'ombre impénétrable,
Quel est-il?

A ce sphinx sans couleur et sans nom,
Plus muet que tous ceux des sables de Memnon,
Et qui, de notre histoire encombrant le portique,
Entr'ouvre dans la nuit son œil énigmatique,

A tant de siècles morts, l'un par l'autre effacé,
Qui donc arrachera le grand mot du passé?

Hélas! n'y songeons point! En vain la main de l'homme
Joue avec les débris de la Grèce et de Rome,
Nul bras n'ébranlera le socle redouté
Qui depuis si longtemps, rigide majesté,
Plus lourd que les menhirs de l'époque celtique,
Pèse, ô vieux Canada, sur le sépulcre antique
Où, dans le morne oubli de l'engloutissement,
Ton tragique secret dort éternellement!

Ce secret, ô savants, ni vos travaux sans nombre,
Ni vos soirs sans sommeil n'en découvriront l'ombre.
Pas un jalon au bord de ce gouffre béant!
Pas un phare au-dessus de ce noir océan!
Point d'histoire!... une nuit sans lune et sans étoiles,
Dont jamais œil humain ne percera les voiles!

Et cependant le globe au loin fermente et bout.
Là-bas, au grand soleil, l'humanité debout,

Un reflet d'or au fer de sa lance guerrière,
Dans l'éclair et le bruit dévore sa carrière.
Là tout germe, tout naît, tout s'anime et grandit,
Du haut des panthéons dont le front resplendit,
La trompette à la bouche, on voit les Renommées,
Dans l'éblouissement des gloires enflammées,
Pour l'immortalité jeter aux quatre vents
Le nom des héros morts et des héros vivants
Pour que dans le passé l'avenir sache lire,
Des poètes divins ont accordé leur lyre,
Et mêlent, dans l'éclat de leurs chants souverains,
Les clameurs d'autrefois aux bruits contemporains.
Le Progrès, dans son antre où maint flambeau s'allume,
Sous son marteau puissant fait résonner l'enclume
Où se forge déjà la balance des droits,
Où pèseront plus tard les peuples et les rois.
La Science commence à voir au fond des choses.
Les Arts. ces nobles fleurs au vent du ciel écloses,
Entr'ouvrent leur corolle au fronton des palais.
Que dis-je? La Nature elle-même, aux reflets
Des nouvelles clartés que chaque âge lui verse,
Sourit plus maternelle en sa grâce diverse;
La mamelle épuisée à nourrir ses enfants,
Dans des élans de joie et d'amour triomphants,
Elle s'ouvre le flanc pour sa progéniture;

Et, dans son noble orgueil, — sainte et grande Nature ! —
Mêle son cri sublime à l'hymne solennel
Qui monte tous les jours de l'homme à l'Éternel.

Pourquoi cette antithèse et ce contraste immense?
Celui par qui tout meurt et par qui tout commence,
Par qui tout se révèle ou tout reste scellé,
Celui qui fit les fleurs et l'azur constellé,
Qui veut que tout renaisse et veut que tout s'effondre,
Arbitre sans appel, pourrait seul nous répondre !

Aux bords ensoleillés de ton beau Saint-Laurent,
Ou sous l'ombre des bois au rythme murmurant
Qui te prêtent leur sombre et riche draperie,
Quand le désœuvrement conduit ma rêverie,
O cher pays dont j'aime à sonder le destin,
Je remonte souvent vers ce passé lointain

Je parcours en esprit tes vastes solitudes,
Je toise de tes monts les fières altitudes ;
Je me penche au-dessus de tes grands lacs sans fond,
Je mesure les flots du rapide profond,

Et, devant ce spectacle, impondérable atome,
De ces jours sans soleil j'évoque le fantôme.

Tout change à mes regards, le présent disparaît;
Nos villes à leur tour font place à la forêt,
Tout retombe en oubli, tout redevient sauvage;
Nul pas civilisé ne foule le rivage
Du grand fleuve qui roule, énorme et gracieux,
Sa vague immaculée à la clarté des cieux!
De ton tiède Midi jusqu'aux glaces du pôle,
Tes hauts pics n'ont encor porté sur leur épaule,
O Canada, connu du seul oiseau de l'air,
Que l'ombre de la nue et le choc de l'éclair!
Tout dort enveloppé d'un mystère farouche
Seul, parfois, quelque masque au regard sombre et louche
Effaré, menaçant comme un fauve aux abois,
Apparaît tout à coup dans la nuit des grands bois!
Quels tableaux! —

Et devant cette nature immense,
Dans un rêve profond qui souvent recommence,
Je crois entendre encor bourdonner dans les airs
Les cent bruits que le vent mêle, au fond des déserts,

Au tonnerre que roule au loin la cataracte ..

Puis je tombe à genoux : — sublime et dernier acte[1]
Ou prologue plutôt du drame éblouissant
Qui va donner un peuple à ce pays naissant, —
Sur ces bords inconnus pour le reste du monde,
Sur ces flots que jamais n'a pollués la sonde,
Sur ces parages pleins d'une vague terreur,
Sur cette terre vierge où plane en son horreur
Le mystère sacré des ténèbres premières,
J'ai vu surgir, foyers de toutes les lumières,
Dans un rayonnement de splendeur infini,
Le soleil de la France et son drapeau béni[2]!

LA RENAISSANCE

Un vent de renouveau sur la France soufflait.
Son diadème d'or se nimbait au reflet
Du radieux soleil qui fut la Renaissance
Le roi François premier, par sa magnificence,
— N'ayant pu, dans sa soif ardente de jouir,
Vaincre l'Europe, — au moins tâchait de l'éblouir

Chez lui le goût des arts a la grandeur s'allie
Il attire à prix d'or, du fond de l'Italie,
Pour les combler d'honneurs, peintres napolitains,
Architectes lombards et sculpteurs florentins

De Vinci, del Sarto, Rosso sont à l'ouvrage ;
Et l'on surprend souvent, le matin, sous l'ombrage
Des grands massifs touffus où dort Fontainebleau,
Le monarque, — j'ai vu quelque part ce tableau, —
Beau comme Louis neuf à son lit de justice,
Bras dessus bras dessous avec le Primatice !

Un monde de splendeurs germe dans son cerveau,
Il rêve tous les jours quelque projet nouveau
Qu'il faut que le génie à l'instant réalise.
Avec ces étrangers la France rivalise ;
Peintres, sculpteurs, lettrés, architectes hardis,
Satiristes profonds, raisonneurs érudits
Surgissent à la voix du prince galant homme.
Delorme va cueillir des lauriers jusqu'à Rome,
Celui-ci c'est Bontemps, celui-là Rabelais ;
Palissy fouille l'or, et Lescot des palais,
Ici Jean Cousin lutte avec Jean de Bologne,
Tandis qu'au fond d'un bois de la verte Sologne,
Bâti par le Nepveu, sculpté par Jean Goujon,
Forteresse royale au féerique donjon,
Brillant comme un foyer de kaléidoscope,
Rendez-vous des futurs potentats de l'Europe,

Chambord, hymne de pierre et rêve de granit,
Chef-d'œuvre que le temps chaque jour rajeunit,
Entr'ouvre, dans un jet d'une audace inconnue,
Sa fleur de lis de marbre au milieu de la nue !

Les Arts ont eu leur tour, la Science a le sien.
Tous les jours on résout quelque problème ancien ;
Enfin, tout se réveille et se métamorphose .

C'était le temps marqué pour une grande chose !

De l'Occident lointain venaient d'étranges bruits
Qui du roi chevalier souvent troublaient les nuits.
On parlait à la cour de vastes découvertes
De cieux toujours sereins, de plaines toujours vertes,
Paradis merveilleux, édens sans fruits amers,
Qu'un Génois avait fait surgir du fond des mers
On avait retrouvé la source de Jouvence.
Et, de Strasbourg à Brest, de Champagne en Provence,

Les raconteurs faisaient de saisissants tableaux
De fleuves sans pareils roulant l'or dans leurs flots,
De peuples primitifs plongés dans l'ignorance,
Et qui tendaient les bras, disait-on, vers la France.

Dans les enivrements d'un succès sans égal,
L'Espagne et l'Angleterre, avec le Portugal,
Par des redoublements de valeur surhumaine,
Se taillant sur ces bords un immense domaine,
Au vent du nouveau monde arboraient leurs drapeaux.

— Allons, se dit François, plus de lâche repos !
Ces princes-là croient-ils se partager la terre ?
Je voudrais bien trouver l'acte testamentaire
Qui leur assure ainsi l'héritage d'Adam.
S'il en est un, qu'on nous le montre ! En attendant,
Le peuple franc se doit à son rôle historique :
A la France, elle aussi, sa part de l'Amérique[3] !

SAINT-MALO

Voici l'âpre océan.

                    La houle vient lécher
Les sables de la grève et le pied du rocher
Où Saint-Malo, qu'un bloc de sombres tours crénelle,
Semble veiller, debout comme une sentinelle.
Sur les grands plateaux verts, l'air est tout embaumé
Des aromes nouveaux que le souffle de mai
Mêle à l'âcre senteur des pins et des mélèzes
Qu'on voit dans le lointain penchés sur les falaises.
Le soleil verse un flot de rayons printaniers
Sur les toits de la ville et sur les blancs huniers

Qui s'ouvrent dans le port, prêts à quitter la côte.
C'est un jour solennel, jour de la Pentecôte.

La cathédrale a mis ses habits les plus beaux ;
Sur les autels de marbre un essaim de flambeaux
Lutte dans l'ombre avec les splendeurs irisées
Des grands traits lumineux qui tombent des croisées.

Agenouillé tout près des balustres bénits,
Un groupe de marins que le hâle a brunis,
Devant le Dieu qui fait le calme et la tempête,
Dans le recueillement prie en courbant la tête.
Un homme au front serein, au port ferme et vaillant,
Calme comme un héros, fier comme un Castillan,
L'allure mâle et l'œil avide d'aventure,
Domine chacun d'eux par sa haute stature.
C'est Cartier, c'est le chef par la France indiqué ;
C'est l'apôtre nouveau par le destin marqué
Pour aller, en dépit de l'océan qui gronde,
Porter le verbe saint à l'autre bout du monde !
Un éclair brille au front de ce prédestiné.

Soudain, du sanctuaire un signal est donné,
Et, sous les vastes nefs pendant que l'orgue roule
Son accord grandiose et sonore, la foule
Se lève, et, délirante, en un cri de stentor,
Entonne en frémissant le *Veni, Creator !*

De quels mots vous peindrais-je, ô spectacle sublime?
Jamais, aux jours sacrés, des parvis de Solime,
Chant terrestre, qu'un chœur éternel acheva,
Ne monta plus sincère aux pieds de Jéhova!

L'émotion saisit la foule tout entière,
Quand, du haut de l'autel, l'homme de la prière,
Ému, laissa tomber ces paroles d'adieu :
— Vaillants chrétiens, allez sous la garde de Dieu !

O mon pays, ce fut dans cette aube de gloire
Que s'ouvrit le premier feuillet de ton histoire!

Trois jours après, du haut de ses mâchecoulis
Par le fer et le feu mainte fois démolis,
Saint-Malo regardait, fendant la vague molle,
Trois voiliers qui doublaient la pointe de son môle,
Et, dans les reflets d'or d'un beau soleil levant,
Gagnaient la haute mer toutes voiles au vent.

Le carillon mugit dans les tours ébranlées;
Du haut des bastions en bruyantes volées
Le canon fait gronder ses tonnantes rumeurs;
Et, salués de loin par vingt mille clameurs,
Au bruit de l'airain sourd et du bronze qui fume,
Cartier et ses vaisseaux s'enfoncent dans la brume[5] !

LE SAINT-LAURENT

Le voyage fut rude, et le péril fut grand.
Pourtant, après avoir, plus de deux mois durant,
Vogué presque à tâtons sur l'immensité fauve,
La petite flottille arriva saine et sauve
Auprès de bords perdus sous d'étranges climats....

— *Terre !* cria la voix d'un mousse au haut des mâts.

C'était le Canada mystérieux et sombre,
Sol plein d'horreur tragique et de secrets sans nombre,
Avec ses bois épais et ses rochers géants,
Émergeant tout à coup du lit des océans !

Quels êtres inconnus, quels terribles fantômes
De ces forêts sans fin hantent les vastes dômes,
Et peuplent de ces monts les repaires ombreux?
Quel génie effrayant, quel monstre ténébreux
Va, louche Adamastor, de ces eaux diaphanes,
Surgir pour en fermer l'entrée à ces profanes?
Aux torrides rayons d'un soleil aveuglant,
Le cannibale est là peut-être, l'œil sanglant,
Comme un tigre, embusqué derrière cette roche,
Qui guette, sombre et nu, l'imprudent qui s'approche.

Point de guides! Partout l'inexorable accueil!
Ici c'est un bas-fond, là-bas c'est un écueil;
Tout semble menaçant, sinistre, formidable;
La côte, noirs rochers, se dresse inabordable....

Les fiers navigateurs iront-ils jusqu'au bout?

— En avant! dit Cartier qui, front grave et debout,

Foule d'un pied nerveux le pont de la dunette,
Et, pilote prudent, promène sa lunette
De tribord à bâbord, sondant les horizons.
Alors, défiant tout, naufrage et trahisons,
Pavillons déployés, *Grande* et *Petite Hermine*,
Avec l'*Emerillon*, qui dans leurs eaux chemine,
Lebreton, qu'on distingue à son torse puissant,
Jalobert, le hardi caboteur d'Ouessant
Qu'on reconnait de loin à sa taille hautaine,
Tous, au commandement du vaillant capitaine,
Entrent dans l'entonnoir du grand fleuve inconnu

Sombre aspect! De forêts un réseau continu
Se déploie aussi loin que le regard s'élance.
Nul bruit ne vient troubler le lugubre silence
Qui, comme un dieu jaloux, pèse de tout son poids
Sur cette immensité farouche des grands bois.

A gauche, des plateaux perdus dans les nuées ;
A droite, des hauteurs qu'on dirait remuées
Par quelque cataclysme antédiluvien ;

En face, l'eau du fleuve énorme qui s'en vient
Rejaillir sur la proue en gerbes écumantes;
Des îlots dénudés par l'aile des tourmentes;
De grands caps désolés s'avançant dans les flots;
Des brisants sous-marins, effroi des matelots;
Des gorges sans issue où le mystère habite;
Partout l'austérité du désert sans limite,
La solitude morne en sa sublimité!

Pourtant, vers le couchant le cap orienté,
La flottille s'avance; et sans cesse, à mesure
Que les lointains brumeux que la distance azure
Se dessinent plus clairs aux yeux des voyageurs,
Rétrécissant aussi ses immenses largeurs,
Le grand fleuve revêt un aspect moins sauvage;
Son courant roule un flot plus calme; le rivage
Si sévère là-bas devient moins tourmenté;
Et, tout en conservant leur fière majesté,
Ces vastes régions que le colosse arrose,
Où dort la forêt vierge, et dont le regard ose
Pour la première fois sonder les profondeurs,
Se drapent par degrés d'éclatantes splendeurs.

Le coup d'œil constamment se transforme et varie.
Enfin, la rive, ainsi qu'un décor de féerie,
Sous le flot qui se cabre en un brusque détour,
S'entr'ouvre, et tout à coup démasque le contour
D'un bassin gigantesque où la Toute-Puissance
Semble avoir mis le comble à sa magnificence.

Un cirque colossal de sommets inclinés ;
Un vaste amphithéâtre aux gradins couronnés
De pins majestueux et de grands bouquets d'ormes ;
Un promontoire à pic aux assises énormes,
Au fond de l'horizon un bleuâtre rideau
Sur lequel se détache une avalanche d'eau,
Avec d'âpres clameurs croulant dans un abîme...
Partout, au nord, au sud, la nature sublime
Dans le cadre idéal d'un conte d'Orient !

Cartier est là debout, glorieux, souriant,
Tandis que ses Bretons, penchés sur les bordages,
Groupés sur les tillacs, suspendus aux cordages,

Par un long cri de joie, immense, spontané,
Éveillent les échos du vieux Stadaconé!

Puis, pendant qu'on évite au courant qui dévire,
Chacun tombe à genoux sur le pont du navire ;
Et ces bois, ces vallons, ces longs coteaux dormants,
Qui n'ont encor vibré qu'aux fauves hurlements
Des fauves habitants de la forêt profonde,
Au milieu des rumeurs de la chute qui gronde,
Retentissent enfin — jour régénérateur ! —
Pour la première fois d'un hymne au Créateur.

Le lendemain matin, au front de la montagne
D'où Québec aujourd'hui domine la campagne,
Une bannière blanche au pli fleurdelisé,
Drapeau par la tempête et la mitraille usé,
Flottait près d'une croix, symbole d'espérance...

Le soleil souriait à la Nouvelle-France !

Ce jour est déjà loin, mais gloire à toi, Cartier !
Gloire à vous, ses vaillants compagnons, groupe altier
De fiers Bretons taillés dans le bronze et le chêne !
Vous fûtes les premiers de cette longue chaîne
D'immortels découvreurs, de héros canadiens,
Qui, de l'honneur français inflexibles gardiens,
Sur ce vaste hémisphère où l'avenir se fonde,
Ont reculé si loin les frontières du monde [6] !

LA FORÊT

Chênes au front pensif, grands pins mystérieux,
Vieux troncs penchés au bord des torrents furieux,
Dans votre rêverie éternelle et hautaine,
Songez-vous quelquefois à l'époque lointaine
Où le sauvage écho des déserts canadiens
Ne connaissait encor que la voix des Indiens,
Qui, groupés sous l'abri de vos branches compactes,
Mêlaient leur chant de guerre au bruit des cataractes?

Sous le ciel étoilé, quand les vents assidus
Balancent dans la nuit vos longs bras éperdus,

Songez-vous à ces temps glorieux où nos pères
Domptaient la barbarie au fond de ses repaires?
Quand, épris d'un seul but, le cœur plein d'un seul vœu,
Ils passaient sous votre ombre en criant : — Dieu le veut!
Défrichaient la forêt, créaient des métropoles,
Et, le soir, réunis sous vos vastes coupoles,
Toujours préoccupés de mille ardents travaux,
Soufflaient dans leurs clairons l'esprit des jours nouveaux ?

Oui, sans doute; témoins vivaces d'un autre âge,
Vous avez survécu tout seuls au grand naufrage
Où les hommes se sont l'un sur l'autre engloutis;
Et, sans souci du temps qui brise les petits,
Votre ramure, aux coups des siècles échappée,
A tous les vents du ciel chante notre épopée!

PREMIÈRE MESSE

Voici du Saguenay la gorge énorme et sombre!

Notre steamer, au fond d'une anse pleine d'ombre,
Dormait tout essoufflé comme un grand cachalot
Nous avions pris pour guide un jeune matelot
Qui, nous avait-on dit, connaissait bien la côte.
Nous gravîmes d'abord une berge assez haute,
Puis un sentier, perdu sous les arceaux géants
De vieux ormes penchés sur des ravins béants
Au fond desquels grondaient d'invisibles cascades,
De détour en détours et d'arcade en arcades,

Nous conduisit au bord d'un plateau rétréci,
Où le guide fit halte, et nous dit :

                              — C'est ici !

Nous étions parvenus sur un coin de falaise,
Véritable balcon d'où l'on pouvait à l'aise
Contempler dans sa fière et rude majesté
Du morne Tadoussac l'horizon tourmenté.

Du haut de ce plateau, dans cette nuit tombante,
L'ombre était solennelle et la scène absorbante.
Ici, le Saint-Laurent qu'on entend bourdonner
Vaguement, et qui laisse à peine deviner
Ses lointains vaporeux noyés dans les ténèbres.
Là, le Saguenay noir, avec ses pics célèbres
Qui, jetant des flots d'ombre opaque aux alentours,
Semblent comme un amas de fabuleuses tours
Pleines de je ne sais quel farouche mystère,
Dressé là pour garder la ténébreuse artère.

A nos pieds le bateau bondé de voyageurs,
Dont les fanaux, hissant leurs sanglantes rougeurs,
Ainsi que des reflets de brûlante oriflamme,
Dans la pénombre, au loin, font brasiller la lame
Et puis, par-dessus tout, un beau ciel étoilé
Faisant, cintre d'azur de points d'or constellé,
Comme un dôme féerique à ce sombre estuaire .

Derrière nous, dans l'ombre, un petit sanctuaire,
Temple paroissial de cet obscur canton,
Dressait son humble seuil au lieu même où, dit-on,
Quelque cents ans passés, sur un autel rustique,
Pendant que le refrain de quelque vieux cantique
Etonnait les échos de ces monts inconnus,
Devant Cartier et ses hardis marins, venus
Pour arracher ces bords aux primitifs servages,
Pour la première fois sur ces fauves rivages,
Un vieux prêtre breton, humble médiateur,
Offrit au Dieu vivant le sang du Rédempteur[7].

La lune me surprit là, plongé dans mes rêves,

Seul, et prêtant l'oreille à la chanson des grèves,
Qui m'arrivait mêlée aux cent bruits indistincts
De la forêt voisine et des grands monts lointains;
Car, après un coup d'œil, devant la nuit croissante,
Mes compagnons avaient tous repris la descente,
Sans jouir plus longtemps du nocturne concert;
Et j'étais resté seul sur le plateau désert.

Alors de souvenirs quelles vagues pressées
Envahirent soudain mon âme et mes pensées!
O sainte majesté des choses d'autrefois,
Vous qui savez si bien, pour répondre à ma voix,
Peupler de visions ma mémoire rebelle,
Que vous fûtes pour moi, ce soir-là, grande et belle!

Je vous revis, là, tous ensemble agenouillés,
Rudes marins bretons, dans vos sarraux souillés
Et raidis sous l'embrun des mers tempêtueuses,
Au milieu de ce cirque aux croupes montueuses,
Au fond de ce désert, loin du monde connu,
Offrant à l'Éternel, tête basse et front nu,

Sur le seuil redouté d'un monde ouvrant ses portes
L'holocauste divin qui fait les âmes fortes

Entre l'homme et le ciel sublime effusion !
C'était l'enfantement, c'était l'éclosion,
Sur ces rives par Dieu lui-même fécondées,
D'un nouvel univers aux nouvelles idées.
C'était l'éclair d'en haut perçant l'obscurité
C'était l'esprit chrétien, l'esprit de liberté,
Ouvrant, sur cette terre entre toutes choisie,
L'aile de la prière et de la poésie !

Et quand, le cœur ému, rêvant et méditant,
J'évoquais ce passé si loin de nous pourtant,
Je croyais voir ce prêtre, en élevant l'hostie,
Des haines d'autrefois proclamer l'amnistie.
Je croyais voir aussi, du fond des bois épais,
Labarum bienfaisant de concorde et de paix,
Comme une grande main fraternelle se tendre ..

Et, dans l'ombre du soir, il me semblait entendre
Une voix qui disait, venant je ne sais d'où :

— Devant moi seul ici l'on pliera le genou !

PREMIÈRE MOISSON

Ce site, c'est Québec.

Au nord montent splendides
Les échelons lointains des vastes Laurentides.
En bas, le fleuve immense et paisible, roulant
Au soleil du matin son flot superbe et lent,
Reflète, avec les pins des grands rochers moroses,
Le clair azur du ciel et ses nuages roses.

Nous sommes en septembre, et le blond fructidor,
Qui sur la plaine verte a mis des teintes d'or,

Au front des bois bercés par les brises flottantes
Répand comme un fouillis de couleurs éclatantes ;
On dirait les joyaux d'un gigantesque écrin.
Un repos solennel plein de calme serein
Plane encor sur ces bords où la chaste nature,
Aux seuls baisers du ciel dénouant sa ceinture,
Drapée en sa sauvage et rustique beauté,
Garde tous les trésors de sa virginité.

Cependant un lambeau de brise nous apporte
Comme un refrain joyeux qu'une voix mâle et forte,
Mêlée à des éclats de babil argentin,
Jette dans l'air sonore aux échos du lointain.
Ce sont des moissonneurs avec des moissonneuses ;
Ils suivent du sentier les courbes sablonneuses,
Et, le sac à l'épaule, ils cheminent gaîment.
Ce sont des émigrés du doux pays normand,
Des filles du Poitou, de beaux gars de Bretagne,
Qui viennent de quitter leur lande ou leur campagne
Pour fonder une France au milieu du désert.

L'homme qui les conduit, c'est le robuste Hébert,

Un vaillant! le premier de cette forte race
Dont tout un continent garde aujourd'hui la trace,
Qui, dans ce sol nouveau par son bras assaini,
Mit le grain de froment, tresor du ciel béni,
Héritage sans prix dont la France féconde
Dans sa maternité dota le nouveau monde.
Ils vont dans la vallée où les vents assoupis
Font ondoyer à peine un flot mouvant d'épis
Qu'ont mûris de l'été les tépides haleines.

Bientôt le blé jauni tombe à faucilles pleines;
La javelle, où bruit un essaim de grillons,
S'entasse en rangs pressés au revers des sillons,
Dont le creux disparaît sous l'épaisse jonchée;
Chaque travailleur s'ouvre une large tranchée;
Et, sous l'effort commun, le sol transfiguré
Laisse choir tout un pan de son manteau doré.

Le soir arrive enfin, mais les gerbes sont prêtes;
On en charge à pleins bords les rustiques charrettes
Dont l'essieu va ployant sous le noble fardeau;
Puis, presque recueilli, le front ruisselant d'eau,

Pendant que, stupéfait, l'enfant de la savane
Regarde défiler l'étrange caravane,
Et s'étonne à l'aspect de ces apprêts nouveaux,
Hébert, qui suit ému le pas de ses chevaux,
Rentre, offrant à Celui qui donne l'abondance
La première moisson de la Nouvelle-France[8]!

PREMIÈRE NUIT

C'était le désert fauve en sa splendeur austère
Rien n'animait encor le vierge coin de terre
Où Montréal devait plus tard dresser ses tours.

En aval du courant, et suivant les détours
Qui creusent çà et là les rives ombragées,
Sous les feux du midi, trois pirogues chargées
— Près de l'endroit nommé depuis *Pied-du-Courant* —
Ensemble remontaient les eaux du Saint-Laurent.

Qui côtoyait ainsi les courbes du grand fleuve?
C'était le fondateur, c'était de Maisonneuve,
Avec de Montmagny, le courageux soldat,
Vimont, l'apôtre saint, fier d'un double mandat,
Et, comme pour dorer cette ère qui commence,
Deux femmes, deux grands cœurs : de la Peltrie et Mance ;
Deux âmes à l'affût de tous les dévoûments.

Ils sont accompagnés de laboureurs normands,
De matelots bretons, fiers enfants de la Gaule,
Travailleurs qui devront, le mousquet à l'épaule,
Le poing à la charrue ou la hache à la main,
S'ouvrir au nouveau monde un si large chemin.

Sur le calme des eaux une voix nous arrive ;
C'est un cantique saint qu'aux échos de la rive,
Dans l'éclat radieux d'un soleil flamboyant,
La petite flottille envoie en pagayant.

— Halte! a crié quelqu'un.

Et bientôt, sur la berge,
Avec le dôme bleu du ciel nu pour auberge,
Nos voyageurs rendus dressent leur campement.
Puis ensemble, à genoux, dans le recueillement,
Rappelant au Très-Haut sa divine promesse,
Naïfs ou fiers chrétiens vont entendre la messe,
Au pied d'un tabernacle à la hâte élevé

Messe

— Vous êtes, dit le prêtre, un grain de sénevé
Que Dieu jette aujourd'hui dans la glèbe féconde ;
La plante qui va naître étonnera le monde ;
Car, ne l'oubliez pas, nous sommes en ce lieu
Les instruments choisis du grand œuvre de Dieu ! —

Et pendant que l'hostie en sa châsse sacrée
Illuminait l'autel de sa blancheur nacrée,
Un long *Pange lingua* s'élevait dans les airs
Vers le Dieu des cités et le Dieu des déserts

Auprès du drapeau blanc, la sainte Eucharistie

Resta là tout le jour.

La tête appesantie,

— Quand le soleil sombra dans le couchant vermeil, —
Nos pieux voyageurs, accablés de sommeil,
Songeaient, prière faite, à chercher sous la tente,
Dans une nuit de paix douce et réconfortante,
Le repos bien gagné qui doit les prémunir
Contre le lourd fardeau des tâches à venir ;
Quand, tout à coup, dans l'ombre éparse des ramées,
Ils virent mille essaims de mouches enflammées,
Qui, croisant à l'envi leur radieux essor,
Comme un jaillissement de gouttelettes d'or,
Ou plutôt comme un flot de flammèches vivantes,
Rayaient l'obscurité de leurs lueurs mouvantes.

Alors chacun se met en chasse ; l'on poursuit
Tous ces points lumineux voltigeant dans la nuit ;
Puis, liant à des fils les blondes lucioles,
On en fait des réseaux, flottantes auréoles,
Qu'on suspend sur l'autel en festons étoilés.

Quelques instants plus tard, dans les bivouacs voilés
Par les grands pins versant leurs ombres fraternelles,
Après avoir partout placé des sentinelles,
Près du fleuve roulant son flot silencieux,
La troupe s'endormit sous le regard des cieux

Et pendant que ces forts, âpres à la corvée,
Voyaient dans leur sommeil grandir l'œuvre rêvée,
Astre pieux trônant dans le calme du soir,
Sur l'autel, dans un pli du drapeau, l'ostensoir,
Au vol phosphorescent d'étincelles sans nombre,
Ouvrait son nimbe d'or et flamboyait dans l'ombre.

O genèse sublime ! ô spectacle idéal !
Ce fut cette nuit-là que naquit Montréal[9]

PREMIÈRES SAISONS

Ce fut un temps bien rude et plein d'âpres angoisses,
Que les commencements de ces belles paroisses,
Qu'on voit s'échelonner aujourd'hui sur nos bords.
Quand, du haut du vaisseau qui s'ancre dans nos ports,
Le voyageur charmé se pâme et s'extasie
Au spectacle féerique et plein de poésie
Qui de tous les côtés frappe ses yeux surpris,
Il est loin, oui, bien loin de se douter du prix
Que ces bourgs populeux, ces campagnes prospères
Et leurs riches moissons coûtèrent à nos pères!

Chez nous, chaque buisson pourrait dire au passant :
Ces sillons ont moins bu de sueurs que de sang.
Par quel enchaînement de luttes, de souffrance,
Nos aïeux ont conquis ce sol vierge à la France,
En y fondant son culte immortel désormais,
La France même, hélas! ne le saura jamais!

Quels jours ensanglantés! quelle époque tragique!
Ah! ce fut une race à la trempe énergique
Que les premiers colons de ce pays naissant.
Ils vivaient sous le coup d'un qui-vive incessant :
Toujours quelque surprise, embûche, assaut, batailles!
Quelque ennemi farouche émergeant des broussailles!
Habitants égorgés, villages aux abois,
Prisonniers tout sanglants entraînés dans les bois!...

Les femmes, les enfants veillaient à tour de rôle,
Tandis que le mari, le fusil sur l'épaule,
Au pas ferme et nerveux de son cheval normand,
Semeur de l'avenir, enfonçait hardiment
Dans ce sol primitif le soc de sa charrue.
Et si, l'été suivant, l'herbe poussait plus drue

Dans quelque coin du pré, l'on jugeait du regard
Qu'un cadavre iroquois dormait là quelque part.

Un jour, d'affreux brigands une bande hagarde,
Auprès d'un petit fort que personne ne garde,
Barbares altérés de pillage et de sang,
S'élance tout à coup des buissons, en poussant
Je ne sais quel horrible et strident cri de guerre.

Les habitants du fort, qui ne soupçonnaient guère
Le farouche Iroquois embusqué si près d'eux,
Croyant pouvoir courir ce risque hasardeux,
Pour travailler aux champs, avaient eu l'imprudence
De laisser tout un jour leurs logis sans défense.
Et voilà que le fruit de dix ans de sueurs
Va tomber au pouvoir de ces lâches tueurs.

Mais Jeanne Hachette est là !

                    L'héroïne si chère
A la France, chez nous c'est Jeanne de Verchère !

Elle n'a pas quinze ans. Voyant de toutes parts
L'ennemi la cerner, elle monte aux remparts.
Chaque porte est bien close, et les armes rangées
Dans chaque bastion sont là toutes chargées.
Elle prend un mousquet, met en joue et fait feu...
Un homme tombe, un autre encore, et peu à peu
Les sanglants agresseurs, pris d'une rage folle,
Sous le canon qui tonne et la balle qui vole,
Interdits, et croyant voir leurs rangs décimés
Par une garnison de soldats bien armés,
Laissent morts et mourants, et battent en retraite [10] !

Hélas ! en feuilletant ces pages, l'on s'arrête
A des drames beaucoup plus froids et plus navrants.

D'où viennent ces clameurs et ces cris déchirants ?
C'est un bourg tout entier surpris dans la nuit noire
Par quinze cents bandits, et — lamentable histoire —
Aux horreurs d'un massacre incroyable livré.

Par la haine et le sang le regard enfiévré,

De tous côtés la horde infernale se rue.
On égorge partout, dans les lits, sur la rue,
On poignarde, on fusille, on écartèle, on fend
Le crâne du vieillard sur le corps de l'enfant,
On déchire le ventre à des femmes enceintes ;
De leur mère, arrachés aux suprêmes étreintes,
On jette en pleins brasiers les petits au berceau,
Et puis, quand le village est réduit en monceau
De débris calcinés et de cendres rougies,
Pour assouvir leur soif d'effroyables orgies,
Les démons tatoués s'en vont en tapinois
Recommencer plus loin leurs monstrueux exploits [11]

O France, ces héros qui creusaient si profonde,
Au prix de tant d'efforts, ta trace au nouveau monde,
Ne méritaient-ils pas un peu mieux, réponds-moi,
Qu'un crachat de Voltaire et le mépris d'un roi !

MISSIONNAIRES ET MARTYRS

Sceptiques ou croyants, oui, tous tant que nous sommes,
Courbons ici nos fronts, ceux-là furent des hommes,
Des soldats du progrès, des héros et des saints.
Peut-être surent-ils, mieux encor que les autres,
Du Dieu dont ils s'étaient faits les humbles apôtres,
    Comprendre ici les grands desseins

On n'avait guère vu spectacle plus étrange
Que cette courageuse et modeste phalange
Pleine d'ardeur mystique et de projets virils,

Qui, nouveaux messagers de la parole sainte,
Traversaient l'univers pour se jeter sans crainte
        Au-devant des plus grands périls.

Sol natal, amitiés, rang, fortune, espérance,
Famille, ils quittaient tout avec indifférence;
Pas un seul qui faiblit au moment de partir;
Et pourtant qu'allaient-ils chercher sur nos rivages,
Sinon, après la vie errante des sauvages,
        La mort sanglante du martyr?

Oh! lorsque je parcours nos annales naissantes,
Et que, tournant du doigt ces pages saisissantes,
J'essaye à suivre un peu par la pensée, au fond
De la forêt immense encore inexplorée,
Ces immortels semeurs de la moisson sacrée,
        J'en éprouve un trouble profond.

Vieux prêtres au front chauve ou lévites imberbes,
Pieds nus mais souriants, harassés mais superbes,
Aux plus mortels dangers prodiguant leurs défis,

Je crois les voir encor, dans leur ardeur sans borne,
S'enfoncer à travers l'horreur du désert morne,
Sans autre arme qu'un crucifix

Fleuves, monts et torrents, chaleurs, pluie ou tempête,
Rien ne les décourage et rien ne les arrête ;
Narguant les jours sans pain, bravant les nuits sans feu,
Poursuivis par les loups et guettés par les fièvres,
L'Évangile à la main et le sourire aux lèvres,
Ils vont sous le regard de Dieu

Où? qu'importe! leur zèle embrasse un hémisphère.
Sous des cieux incléments si loin que vont-ils faire?
Quel but rêvent-ils donc qui les fait tant oser?
Où donc est le secret du feu qui les consume?
C'est que leur mission en deux mots se résume :
Convertir et civiliser!

Devant ces deux grands mots point d'obstacle qui tienne !
Oui, ces fiers envoyés de la France chrétienne
N'ont qu'un vœu, qu'un désir et qu'une ambition :

Conquérir, par l'effort de vertus surhumaines,
Des âmes à l'Église, et de nouveaux domaines
        A la civilisation.

Et l'un d'eux meurt de faim dans la forêt profonde ;
Un autre, sur le seuil d'un village qu'il fonde,
D'un coup de tomahawk a le crâne entr'ouvert ;
Celui-ci s'engloutit sous la vague écumante ;
Celui-là disparaît, perdu dans la tourmente
        D'une terrible nuit d'hiver.

Ici c'est Daniel expirant sous les balles ;
Là c'est Jogue et Goupil sur qui les cannibales
De leur instinct féroce épuisent tout le fiel ;
Plus loin c'est Lallemant, Brebeuf, d'autres encore
Qui, sous le fer cruel et le feu qui dévore,
        Meurent les yeux levés au ciel.

Bien plus, ce même Jogue, indomptable nature,
Après mainte agonie au poteau de torture,
Réussit par miracle à tromper ses bourreaux ;

Mais perclus, mutilé, vers ces lieux où l'attire
La soif du sacrifice ou l'amour du martyre,
    Il revient mourir en héros.

Et puis, à chaque instant, nouvelles découvertes !
Jour après jour, ce sont d'autres routes ouvertes
A travers la savane ou les fourrés épais ;
Et l'homme primitif, que tant de zèle touche,
Devenu par degrés moins sombre et moins farouche,
    Offre le calumet de paix

De nouveaux dévoûments ces preux toujours en quête,
Cent ans marchent ainsi de conquête en conquête,
Distribuant l'aurore à toute cette nuit ...
Et l'Europe applaudit ces sublimes cohortes
Qui d'un monde inconnu brisent ainsi les portes
    Devant le progrès qui les suit.

O mon pays, au cours des siècles qui vont naître,
Puissent tes fiers enfants ne jamais méconnaître
Ces humbles ouvriers de tes futurs destins !

Ils furent les premiers défricheurs de la lande :
Qu'on réserve toujours la plus fraîche guirlande
      Pour ces vaillants des jours lointains !

Et nous, qui recueillons — oui, croyants ou sceptiques —
Les éternels bienfaits que ces âmes antiques
Sur notre terre vierge ont semés en passant,
N'oublions pas qu'un jour l'arbre aux rameaux sans nombre
Qui protège aujourd'hui nos enfants de son ombre
      A germé dans leur noble sang [12] !

LE PIONNIER

J'ai bien connu jadis le vieux Baptiste Auclair
C'était un grand vieillard jovial, ayant l'air
Déluré d'un ancien capitaine en retraite
Autrefois au Nord-Ouest il avait fait la traite,
Et sa fortune aussi, disait-on dans le temps,
Mais cela n'était pas bien sûr, car à trente ans
Il était retourné, sans le moindre étalage,
Reprendre la charrue et sa place au village,
Héritier de la terre et du toit paternels.
C'est là que je l'ai vu, dans les jours solennels,

Rieur, et se faisant craqueter les jointures,
Nous raconter ce qu'il nommait ses aventures.

Il avait élevé seize enfants : huit garçons
— Là-dessus je ne sais plus combien de bessons —
Et huit filles, tous seize installés en ménage.
Il n'en portait pas moins gaillardement son âge.

— J'ai, disait-il, bon pied, bon œil, et sapristi !
Sans me vanter, jamais je ne me suis senti
Si jeune et si dispos que lorsque la cohorte
De mes petits-enfants vient frapper à ma porte.
Et j'en ai, Dieu merci, cent dix-sept, bien comptés !
Beau chiffre, n'est-ce pas ? Tenez, vous plaisantez,
Vous autres, lorsque vous discutez politique,
Nation, avenir ; l'œuvre patriotique,
Jeunes gens, c'est la mienne ! Un homme est éloquent,
Et peut se proclamer bon patriote... quand ?
Quand il a cinquante ans labouré la prairie,
Et donné comme moi cent bras à la Patrie.
Mettez cela dans vos papiers, beaux orateurs ! —

Et, parcourant des yeux son cercle d'auditeurs,
Il éclatait de rire, attendant la réplique

Le vieillard conservait une étrange relique
Au fond d'un vieux bahut à moitié ruiné,
Il tenait ce trésor de son père, et l'aîné
De ses enfants devait en avoir l'héritage
Il ne lui plaisait pas d'en dire davantage

Un beau soir cependant qu'on le sollicitait,
Il exhiba l'objet devant nos yeux, c'était
Un petit vêtement de gros chanvre, une espèce
De chemise d'enfant, lourde, grossière, épaisse,
Mal cousue, et portant sur son tissu taché
Quelques traces d'un brun noirâtre et desséché

— C'est là du sang, messieurs, du sang de race fière!
Dit le vieillard Et puis, roulant sa tabatière
Entre ses doigts noueux, il nous fit le récit
De la simple et navrante histoire que voici :

— C'était bien avant nous, au temps où les sauvages
Faisaient dans le pays tant de sanglants ravages,
Commença tristement le vieux Baptiste Auclair.
Au penchant du coteau baigné par le flot clair
Où le beau Nicolet, à deux pas du grand fleuve,
Mire aujourd'hui gaîment sa cathédrale neuve,
A l'ombre d'un bouquet de pins au faîte altier,
Que les siècles n'ont pu terrasser tout entier,
Trois hardis pionniers, en ces jours de tourmentes,
Avec l'espoir prochain de saisons plus clémentes,
Avaient planté leur tente à la grâce de Dieu.

L'un d'eux se nommait Jacque. Il avait dit adieu
Aux droits, à la corvée, à la taille, aux gabelles,
Pour s'en venir chercher avec d'autres rebelles,
Sous des cieux où le fisc n'eût pas encore lui,
Un peu de liberté pour les siens et pour lui.
Sa femme, une robuste enfant de Picardie,
Trois fois avait doté leur famille agrandie
D'un nouveau-né gaillard, alerte et bien portant.
Et l'œil des deux époux allait à chaque instant,
Avec un long regard, hélas! souvent morose,
Des aînés tout brunis au bébé frais et rose.

Or ce dernier n'avait que six mois seulement
Lorsque se déroula l'affreux événement
Qui sur un lit d'horreur le jeta seul au monde

Pour les colons l'année avait été féconde
La pente des coteaux et le creux des vallons
Étalaient, souple et lourd, un manteau d'épis blonds,
Qui, comme un lac doré que le soleil irise,
Flottait luxuriant au souffle de la brise.
L'heure de la moisson était venue, aussi
Le cœur des défricheurs, oubliant tout souci,
Montait reconnaissant vers Celui dont l'haleine
Enrichit les sillons et fait jaunir la plaine.

Un soir, notre ami Jacque, après mûr examen,
Prépara sa faucille, et dit — C'est pour demain ! —
Puis il pria longtemps, et dormit comme un juste.
Hélas ! si par hasard, ce soir-là même, juste
A l'heure où les colons se livraient au sommeil,
En amont du courant, prêt à donner l'éveil,
Quelqu'un eût côtoyé la rive solitaire,
Il eût sans doute vu, furtifs, rasant la terre

Dans l'ombre de la berge, et pagayant sans bruit,
Trois longs canots glisser lentement dans la nuit.
C'étaient des Iroquois, ces maraudeurs sinistres
Dont les premiers feuillets de nos anciens registres
Racontent si nombreux les exploits meurtriers.

Rendus non loin des lieux où nos expatriés
Avaient fortifié leur petite bourgade,
Dans un enfoncement propice à l'embuscade,
Ils prirent pied, masqués par un épais rideau
De branchages touffus inclinés à fleur d'eau;
Puis sur le sable mou hâlèrent en silence
Leurs pirogues au fond le plus obscur de l'anse,
Et, sous les bois, guettant et rampant tour à tour,
Tapis dans les fourrés, attendirent le jour.

Celui-ci se leva radieux et superbe.

C'est fête aux champs le jour de la première gerbe;
Aussi nos moissonneurs, les paniers à la main,
Dès l'aube, tout joyeux, se mirent en chemin.

Les aînés, que la mère avec orgueil regarde,
S'avançaient tapageurs en piquet d'avant-garde,
Tandis que Jacque, ému, riait d'un air touchant
Au petit que sa femme allaitait en marchant,
Car, suivant la coutume, on était en famille

Bientôt, au bord d'un champ où l'épi d'or fourmille,
On fit halte Partout, des prés aux bois épais,
Nul bruit inusité, nuls indices suspects,
Rien qui troublât la paix des vastes solitudes.
Du reste on n'avait nul sujet d'inquiétudes
Pas une bête fauve, et, quant aux Iroquois,
Ils n'osaient plus tirer leurs flèches du carquois,
Refoulés qu'ils étaient au fond de leurs repaires.
On pouvait donc compter sur des jours plus prospères.
Enfin, l'espoir au cœur, et ne redoutant rien,
Jacque — après avoir fait le signe du chrétien —
Près du marmot dormant au creux d'une javelle,
Commença les travaux de la moisson nouvelle.

Un ravissant tableau ! Dans le cadre assombri
De l'immense forêt qui lui prête un abri,

Une calme clairière où l'on voit, flot mouvant,
Les blés d'or miroiter sous le soleil levant;
A genoux sur la glèbe, et tête découverte,
Les travailleurs penchés sur leur faucille alerte;
Deux enfants poursuivant le vol d'un papillon;
Et puis ce petit ange, au revers d'un sillon,
Parmi les épis mûrs montrant sa bouche rose...
C'était comme une idylle au fond d'un rêve éclose.

Qu'advint-il? On ne l'a jamais su tout entier.

Ce matin-là, quelqu'un, en suivant le sentier
Qui conduisait du fort à la rive isolée,
Entendit tout à coup, venant de la vallée
Où Jacque était allé recueillir sa moisson,
Quelque chose d'horrible à donner le frisson.
C'étaient des cris stridents, aigus, épouvantables;
Et puis des coups de feu, des plaintes lamentables,
Appels désespérés et hurlements confus
Frappant lugubrement l'écho des bois touffus.
Les farouches rumeurs longtemps se prolongèrent;
Longtemps dans le lointain des clameurs s'échangèrent;

Et puis, sur la rivière où le bruit se confond,
Succéda par degrés un silence profond

Le soir, lorsque les deux colons du voisinage
Osèrent visiter la scène du carnage,
Un spectacle hideux s'offrit à leurs regards
Trois cadavres sanglants, défigurés, hagards,
Jacque et ses deux enfants, pauvre famille unie
Dans une même atroce et fatale agonie,
Mutilés, ventre ouvert, le crâne dépouillé,
Gisaient là sur le sol par le meurtre souillé.
Quant à la mère, hélas! elle était prisonnière,
Sans doute condamnée à mourir la dernière
A quelque affreux gibet par l'enfer inventé.

On plia le genou sur le champ dévasté;
Et, de ces cœurs naïfs glacés par l'épouvante,
La prière des morts allait monter fervente,
Lorsqu'au *De profundis clamavi,* — faible et doux,
Un long vagissement venant on ne sait d'où
Répondit aussitôt comme un cri d'âme en peine.

Les colons étonnés retinrent leur haleine...

C'était comme un sanglot d'enfant; et, stupéfait,
Quelques instants plus tard, on trouvait en effet,
Dans le creux d'un sillon, la face contractée,
Perdu sous un amas de paille ensanglantée,
Un enfant de six mois suffoquant à demi.
Sans doute que la mère avait de l'ennemi
Par cet ingénieux moyen trompé la rage,
Et, dévoûment sublime, avait eu le courage
De marcher à la mort d'un cœur déterminé,
Sans trahir d'un regard le pauvre abandonné!

— Or ce pauvre orphelin, ce pauvre petit être,
Dit le vieux plus ému qu'il ne voulait paraître,
Voici le vêtement qu'il portait ce jour-là;
Et, si je le conserve avec respect, cela
Ne surprendra bien fort personne ici, j'espère,
Car cet enfant... c'était mon arrière-grand-père[13] !

`CAVELIER DE LA SALLE

Son âme avait la soif des grandes aventures
Il tenait par la race à ces hautes natures
Qui de l'humanité sont les porte-flambeaux,
Mais dont, souvent aussi, la pierre des tombeaux
Marque lugubrement l'àpre route des âges.

Ceux-là, trompés d'abord par d'éclatants présages,
Peuvent, lutteurs vaincus d'un combat surhumain,
Voir la fatalité leur barrer le chemin
Au moment de toucher à la palme suprème ..
Écrasés sous leur tàche, ils triomphent quand même

Leur œuvre, dont le fruit ne peut s'anéantir,
En sacrant le héros sait survivre au martyr !

Il se nommait Robert Cavelier de La Salle.
Déjà l'esprit hanté par l'ombre colossale
De Cartier, jeune encore il fuit le sol normand
Pour notre Canada, cher pays inclément
Qu'alors les plus hardis n'abordaient qu'avec crainte.
Il rêve d'embrasser le globe en son étreinte,
De consacrer sa vie à d'immortels travaux,
Et, ravissant aux mers des continents nouveaux,
— Miracle de courage et de persévérance, —
De donner à lui seul un empire à la France !

A son ambition rien ne semble trop grand.
En remontant les flots perdus du Saint-Laurent,
Il veut réaliser ce projet chimérique :
Arriver jusqu'en Chine à travers l'Amérique.

C'est tout un monde étrange, insoumis, menaçant,
Qu'il lui faut conquérir et dompter en passant.

Où sont ses bataillons? Quelles sont ses ressources?
Qui le dirigera dans ces lointaines courses?
Pour franchir ces déserts, — solitudes sans fin
Où l'attendent le froid, les fatigues, la faim, —
Ces lacs tempêtueux, ces pics inabordables,
Ces repaires peuplés de hordes formidables,
Ces abîmes sans fond, ces tragiques forêts
Pleines de pièges sourds et de mornes secrets,
Qui soutiendra l'espoir en son âme meurtrie?

— Une seule pensée, un seul mot : la Patrie!

L'impossible, à ce nom, pour lui n'existe point .
Le mousquet à l'épaule ou la pagaie au poing,
En route! —

Et devant lui, de l'aube au crépuscule,
Le vaste horizon s'ouvre et le désert recule
Perçant les fourrés noirs où le sombre Iroquois
Sur son torse bronzé fait sonner son carquois,
Il va. Des lacs géants, rivaux des mers géantes,
Le menacent en vain de leurs vagues béantes,

Au chant du *Te Deum* il lance le *Griffon;*
Et, colosse vaincu, l'Ontario profond
Voit le premier haut-bord se cabrer sur son onde.
Il avance, il découvre, il colonise, il fonde.
Au loin, derrière lui, dans le bruit des rameurs,
Du Niagara grondant s'éteignent les clameurs;
Il avance toujours. Monotonie immense,
Où la plaine finit, la forêt recommence.
C'est partout l'inconnu, partout l'illimité,
Dans leur hideur farouche et leur sublimité.

Enfin, de Jolliet la trace encor récente
Le conduit sur la rive où, nappe incandescente,
Dans son lit sablonneux, le grand Mississipi
Déploie en serpentant son long cours assoupi.
Alors — universelle erreur géographique —
La Salle croit tenir son rêve :

                              — Au Pacifique !
Dit-il ; ceci n'est pas un fleuve, c'est un pont
Que Dieu jette entre nous, la Chine et le Japon.
En avant donc! et si nous gagnons la bataille,
Nous aurons découpé le monde à notre taille ! —

Et le hardi coureur d'aventures partit,
Trouvant presque, à son gré, le monde trop petit.

O doigt divin! bien loin des grands pays d'Asie
Qu'il cherchait, — sous des cieux vibrants de poésie
Que parfument l'orange et le magnolia,
Doux paradis perdu que la France oublia,
Dans un berceau de fleurs, de mousses, de lianes,
C'est vous qu'il découvrit, vierges Louisianes!

Et puis la mer! la mer! le beau golfe du Sud!
Écroulement fécond d'un grand rêve déçu

Poètes, haut les cœurs! Les Muses ont des rides,
Changez vos luths! Le vrai jardin des Hespérides
Vous tend ses rameaux verts par le temps rajeunis,
Tout chargés de fruits d'or, de parfums et de nids
Apollon s'exilait, — ces féeriques asiles,
Ces bois harmonieux et ces flottantes iles,
Bouquets bercés au flot du grand Meschacébé,
C'est un temple plus neuf offert au dieu tombé

De poèmes en fleur un essaim se révèle,
Pleins de jeunes frissons et de fraîcheur nouvelle ;
Adieu le faux éclat des idylles d'antan !
La légende moderne au corsage tentant,
Ouvrant l'aile au milieu de blanches silhouettes,
Prend son vol sur ces bords. Haut les cœurs, ô poètes !

Et La Salle, charmé, contemple souriant
Cet éden que viendra.chanter Chateaubriand !

Plus tard, sur des vaisseaux de France — triste épreuve —
La Salle cherche en vain la bouche du grand fleuve.
Battu par la tempête, envié d'un jaloux,
— Les lions sont parfois tracassés par les loups, —
Entouré de périls qu'il brave tête haute,
Avec deux cents colons il se jette à la côte.

Pour atteindre son but il veut tout affronter ;
Deux ans contre le sort on le voit s'arc-bouter,
Et corps à corps lutter avec l'inexorable.
Révoltes, guet-apens, misère inénarrable,

L'Indien au dehors, les fièvres au dedans,
La trahison dans l'ombre ouvrant ses yeux ardents,
Tous les malheurs sur lui viennent fondre avec rage
Presque seul contre tous, il tient tête à l'orage;
Jusqu'à ce que, pour vaincre, il n'ait plus qu'un recours
Franchir le continent pour chercher du secours.

Il part Des noirs bayous côtoyant les rivages,
A travers les grands bois ou les pampas sauvages,
La savane fangeuse ou le sable mouvant,
Sur un sol ennemi, sous un ciel énervant,
Il marche, il marche encor, sans un mot qui console,
N'ayant que deux amis son chien et sa boussole.

Il revoit l'Arkansas, le lointain Missouri,
L'Illinois méandreux et l'Ohio fleuri,
Le blond Mississipi, tous ces sillons immenses
Où son bras a jeté d'immortelles semences,
Et c'est le cœur encore à son œuvre acharné,
Que le héros, malade, errant, abandonné,
Tombe, le crâne ouvert par la balle d'un traître.
Il expire; et la main pieuse d'un vieux prêtre

Plante une branche en croix sur sa fosse... En quel lieu?
Hélas! c’est le secret du désert et de Dieu.

Dors en paix, ô La Salle, à côté de Marquette!
Au moins tu n’auras pas vu ta noble conquête,
Le radieux pays qui t’avait tant coûté,
Pour quelques millions follement brocanté!

Oui, dors en paix au fond de ta tombe perdue,
O Cavelier! — Ta gloire, un soldat l’a vendue;
Le Saint-Laurent, déjà dès longtemps déserté,
Avait dû d’un roi vil payer la lâcheté;
Abandonnée aussi l’héroïque Acadie;
Le vieux drapeau français, qui dans ta main hardie
Avait porté si loin son éclat triomphal,
S’est incliné devant un orgueilleux rival;
Son vol ne plane plus au ciel du nouveau monde...
Mais son ombre, en passant, ne fut pas inféconde.

Sur ce sol où couvaient toutes les libertés,
Des germes pleins de force après lui sont restés.

Ces germes ont produit une race fidèle,
Qui, ravie à la France, a su garder loin d'elle,
Ainsi qu'un legs pieux à jamais vénéré,
Sa mémoire, sa langue et son culte sacré.
C'est un arbre robuste aux racines vivaces,
Qui, cramponné d'abord a toutes les crevasses,
Balance désormais, au vent du ciel serein,
Les mille et un rameaux de son tronc souverain.
Sa force et sa fierté, ses fruits et son ombrage,
C'est à vous qu'on les doit, ô Français d'un autre âge,
Phalange de martyrs et de héros chrétiens,
Des grands projets de Dieu si longtemps les soutiens,
Et dont La Salle en lui résume la légende.

Donc, gloire à toi, Rouen, noble cité normande !
Dresse une fois de plus ton beau front triomphant,
Et vois, pour rendre hommage à ton illustre enfant,
Sous tes antiques murs, dans un transport lyrique,
S'embrasser aujourd'hui la France et l'Amérique [14] !

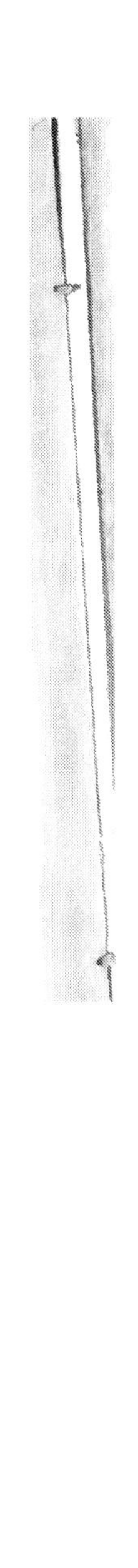

A LA BAIE D'HUDSON

C'est l'hiver, l'âpre hiver, et la tempête embouche
Des grands froids boréaux la trompette farouche
Dans la rafale, au loin, la neige à flots pressés
Roule sur le désert ses tourbillons glacés,
Tandis que la tourmente ébranle en ses colères
Les vieux chênes rugueux et les pins séculaires
L'horrible giboulée aveugle, le froid mord ;
La nuit s'approche aussi — la sombre nuit du Nord —
Apportant son surcroît de mornes épouvantes

Et pourtant, à travers les spirales mouvantes,
Que l'ouragan soulève en bonds désordonnés,
Luttant contre la grêle et les vents déchaînés,
Des voyageurs, là-bas, affrontent la bourrasque.
L'ombre les enveloppe et le brouillard les masque.
Qui sont-ils? Où vont-ils? Sous ce ciel périlleux,
Qui peut narguer ainsi les éléments fougueux?

Ce sont de fiers enfants de la nouvelle France.
Sans songer aux périls, sans compter la souffrance,
Ils vont, traçant toujours leur immortel sillon.
Au pôle, s'il le faut, planter leur pavillon!

Au mépris des traités, la hautaine Angleterre,
Contre la France armant sa haine héréditaire,
Sur les côtes d'Hudson, — dangers toujours croissants, —
Avait braqué vers nous ses canons menaçants.
Il fallait étouffer les oursons au repaire;
Et d'Iberville, un fort que rien ne désespère,
Avec cent compagnons armés jusques aux dents,
Malgré la saison rude et ses grands froids mordants,

A travers des milliers d'obstacles fantastiques,
Avait pris le chemin des régions arctiques .
Pour reprendre à l'Anglais ces postes importants,
Il fallait prévenir les secours du printemps

Et c'est ce groupe fier, avec son chef en tête,
Qu'on voit marcher ainsi le front dans la tempête

Sans un sentier battu, sans guides, sans jalons,
Ils franchissent les monts, les ravins, les vallons,
Précipice ou torrent, forêt ou fondrière,
Rien ne peut entraver leur course aventurière;
Les canots sur l'épaule et la raquette aux pieds,
Ces fiers coureurs des bois, ces chasseurs, ces troupiers
Traînant munitions, bagage, armes et vivres,
Courbés sous la courroie et tout couverts de givres,
Semblaient, dans les brouillards de ce ciel nébuleux,
Les fantômes errants d'un monde fabuleux

Les semaines, les mois s'écoulent; les débâcles
A l'expédition offrent d'autres obstacles.
Les rayons du soleil, de plus en plus troublants,
Ont sur le sol neigeux des reflets aveuglants;
Puis le verglas fangeux que le printemps fait fondre
Change en marais glacé la route qui s'effondre...
Cela n'est rien; plié sous les fardeaux trop lourds,
Dans l'eau jusqu'à mi-jambe, on avance toujours.

Une rivière est là de banquises couverte :
Vite, canots à flot, la rame aux poings, alerte!
Quelquefois il leur faut descendre en pagayant
Quelque effrayant rapide aux remous tournoyant;
Nul ne recule; un jour, dans un torrent qui gronde,
D'Iberville lui-même est englouti sous l'onde;
Il s'échappe, mais deux des braves sont noyés...

.   .   .   .

Plus tard, quand le héros rentra dans ses foyers,

Il avait arraché trois forts à l'Angleterre,
Conquis toute une zone, et sur mer et sur terre,
Humilié vingt fois nos rivaux confondus

Ce sont ces hommes-là qu'un monarque a vendus [15] !

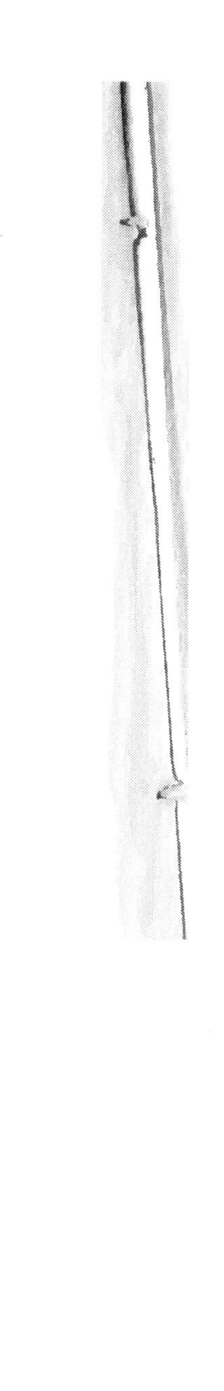

LE FRÊNE DES URSULINES

Il semblait à nos yeux un pilier des vieux âges,
Ce vieux tronc qui brava tant de vents en courroux
Il avait sur nos bords vu les Pâles-Visages
        Remplacer les grands guerriers roux.

Aigrette énorme au front du vaste promontoire,
Colosse chevelu dans le roc cramponné,
Il avait vu passer bien des jours sans histoire
        Au sommet de Stadaconé

Son ombre avait couvert bien des bivouacs sauvages,
Abrité bien longtemps des hordes aux flancs nus,
Tandis que le grand fleuve à ses mornes rivages
    Jetait ses sanglots inconnus.

Il savait des secrets que nul œil ne devine;
Quand, un jour, face à face, il vit — aspect troublant —
Sur le même rocher surgir la croix divine
    A côté d'un long drapeau blanc.

Et puis, de siècle en siècle et d'année en année,
L'arbre antique vécut — flux et reflux du sort —
La légende sublime où notre destinée
    A pris son incroyable essor.

Il vit tous nos héros; il vit toutes nos gloires;
Il vit nos fiers travaux et nos saints dévoûments;
Il vit notre abandon, nos stériles victoires,
    Avec leurs sombres dénoûments.

Et, sur ses derniers jours, dans ses décrépitudes,
Comme une harpe où tremble un vieux lambeau d'accord,
On croyait voir, au vent des vieilles solitudes,
        Ses rameaux frissonner encor.

Et lorsque le géant quatre fois centenaire
Courba sa tête où tant de soleils avaient lui,
Ce fut triste; on comprit que c'était toute une ère
        Qui disparaissait avec lui

O frêne! ô grand témoin des choses envolées!
On a sacré, depuis, le sol où tu tombas;
Et sur ta place vide, en bruyantes mêlées,
        Des enfants prennent leurs ébats

Oui, des enfants, des jeux, des rires, des fronts roses,
A l'endroit même d'où, colosse aux flancs rugueux,
Tu vis se dérouler, en tes ennuis moroses,
        La noble histoire des aïeux!

Des cris de joie, après le vol des oriflammes,
Le clairon, les obus et le tambour battant!...
Si comme l'être humain les arbres ont des âmes,
     O grand mort, n'es-tu pas content?

Pour moi, quand, de l'antique enclos des ursulines,
Pour la première fois, tout ému, j'entendis
Monter ces voix d'enfants, fraîches et cristallines
     Comme un écho du paradis,

Soudain, sous les arceaux dépouillés du vieux frêne,
Longue chaîne héroïque évoquée à la fois,
Il me sembla revoir passer l'ombre sereine
     Des saintes femmes d'autrefois!

De nos martyrs chrétiens immortelles rivales,
De dévoûments obscurs grands cœurs fanatisés,
Que la France d'alors jetait sans intervalles
     Sur ces bords incivilisés!

Dames de haut parage ou filles des chaumières,
Qui laissaient tout, famille, amis, brillants partis,
Pour venir apporter les divines lumières
          Aux petits d'entre les petits !

Et je rêvai longtemps ; car jamais, ô vieil arbre,
A nul fronton superbe, au seuil de nul tombeau,
Je n'ai rien vu, fouillé dans le bronze ou le marbre,
          De plus touchant et de plus beau,

Que celle qui porta le nom de La Peltrie,
Sainte veuve, enseignant, sous tes ombrages frais,
Avec le nom de Dieu le grand mot de Patrie
          Aux petits enfants des forêts [16] !

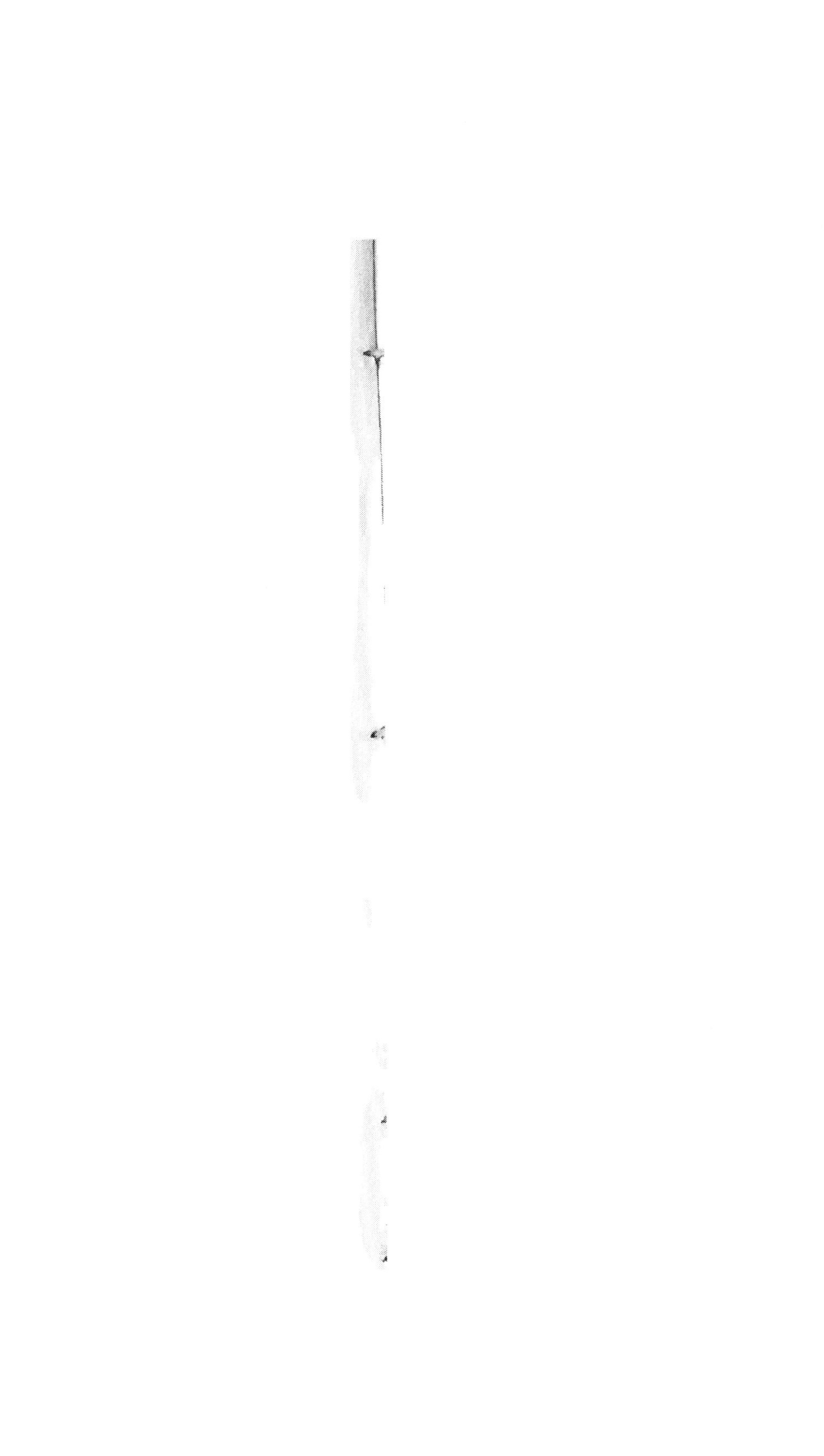

DAULAC DES ORMEAUX

Quelle plume il faudrait pour rendre avec des mots
Ton héroïque histoire, ò Daulac des Ormeaux !

Montréal, qui, superbe entre nos métropoles,
Dresse aujourd'hui son front couronné de coupoles,
N'était qu'une bourgade, et n'avait pas vingt ans.
Un soir, le bruit courut parmi ses habitants
Si souvent harassés par les hordes sauvages,
Que, voulant couronner leurs incessants ravages
Par un affreux massacre inouï jusqu'alors,
Les Iroquois devaient réunir leurs efforts

Afin d'exterminer toute la colonie.

Dans l'ombre du conseil, leur infernal génie

Avait tout combiné pour un sanglant succès,

Bref, il ne devait pas rester un seul Français

Pour porter le récit du désastre à la France .

Attaque à l'improviste, et carnage à outrance !

.   . .   .

Transportons-nous au bord de l'Ottawa fougueux

Dans les étranglements de ses rochers rugueux,

En flots échevelés tordant ses lourdes vagues,

La cataracte au vent hurle ses clameurs vagues,

Dont les échos perdus semblent d'étranges voix

Qui s'appellent au loin dans la nuit des grands bois.

Le jour tombe ; au couchant, le soleil qui rougeoie

Saigne sur l'horizon, comme ces feux de joie

Qui, le soir, en Bretagne, à la Saint-Jean d'été,

S'éteignent en jetant leur mourante clarté

Sur les coteaux lointains que leur pourpre ensanglante,
Puis, bientôt, par degrés, la nuit sombre et troublante,
La nuit des grands déserts, ténébreux conquérant,
Envahit la forêt, les monts et le torrent

Quelqu'un veille pourtant sur ces bords solitaires.
Holocaustes vivants et martyrs volontaires,
Plutôt que de la voir saccager et piller,
Seize colons s'étaient offerts sans sourciller
Pour couvrir de leurs corps la patrie en détresse,
Et bien armés, joignant la bravoure à l'adresse,
Avant que l'ennemi pût les envelopper,
Ils étaient venus là s'embusquer pour frapper.

Dans cet affreux péril, la colonie en transe
N'avait plus qu'une seule et suprême espérance
Gagner du temps.

Et dans un vieux fort, où jadis
Des Algonquins avaient combattu les bandits,

Au-dessous de la chute, au pied d'un long portage,
Sur un point qui domine avec quelque avantage
Un défilé par où, dans sa soif d'égorger,
L'Iroquois ne pouvait manquer de s'engager,
Daulac et les vaillants compagnons qu'il commande,
Héros de sang breton ou de race normande,
Avec quelques Hurons recrutés en chemin,
Guettent l'envahisseur le mousquet à la main !

Pas un ne reviendra, tous le savent, n'importe !
Ils sont là du pays pour défendre la porte,
Ils ont fait le serment d'en garder les abords :
Il faudra pour entrer leur passer sur le corps !
Et, tandis qu'autour d'eux l'ombre épaissit ses voiles,
Leur prière du soir monte vers les étoiles

Tout à coup, du rapide au loin couvrant le bruit,
Un hurlement sauvage éclate dans la nuit
Peuple entre tous habile au jeu des embuscades,
Les Iroquois, rôdant en deçà des cascades,
Avaient vu le chemin que Daulac avait pris,

Et c'était l'embusqué qui se trouvait surpris

Sept cents démons fondaient ensemble sur le poste

Mais Daulac était brave et prompt à la riposte
Sans reculer d'un pas, solide comme un roc,
La faible garnison tint ferme sous le choc

Ce fut en un instant une horrible mêlée.
Les Peaux-Rouges, chargeant en bande échevelée,
Avec des gestes fous et des cris furibonds,
Se ruaient sur le fort, et par d'horribles bonds,
Malgré les sabres nus et les arquebusades,
Recommençaient sans fin l'assaut des palissades.
Ils n'avaient presque plus l'aspect d'êtres humains.
On leur fendait le crâne, on leur hachait les mains ;
On leur jetait aux yeux des cendres enflammées ;
Quand même ! reformant leurs masses entamées,
Sous la crosse qui tombe ou le brandon brûlant,

Ces tigres enragés s'élançaient en hurlant.
Et toujours, et partout, la balle et l'arme blanche
Refoulaient dans le sang la terrible avalanche.

Et cela, sous les bois, dans la nuit, au milieu
Du désert frissonnant sous le regard de Dieu!
C'était un cauchemar à donner l'épouvante.

On se battit ainsi jusqu'à la nuit suivante;
Puis l'on recommença.

                    Cela dura dix jours.

Les Iroquois vaincus se recrutaient toujours.
Quant à la garnison, bien qu'à moitié réduite
Par ces dix mortels jours de lutte, et par la fuite
De tous ou presque tous ses Indiens alliés,
Malgré l'effort de tant d'assauts multipliés,

Devant ses ennemis qui redoublaient de rage,
Elle ne sentait pas amollir son courage,
Et, pour sauver les siens, décidée à périr,
Voulait plus que jamais triompher ou mourir.

Un soir que le combat triplait de violence,
Daulac prend un baril plein de poudre, et le lance,
Mèche allumée, en plein milieu des assaillants.
Malheur! un accident l'arrête, et nos vaillants
Voient retomber sur eux la machine infernale

Ce fut le dernier coup de la lutte finale.

Aux lueurs que jeta la fauve explosion,
Dans des flots de fumée, une âpre vision,
Scène horrible, à la fois sublime et repoussante,
Arrêta sur le seuil la horde envahissante.

Sur un monceau de morts et dans le sang qui bout,
Un seul des assiégés était resté debout,
Et, tragique, hagard, devenu fou, farouche,
Les yeux fixes d'horreur et l'écume à la bouche,
Afin de les soustraire aux vainqueurs courroucés,
Une hache à la main achevait les blessés !

Puis, le crâne entr'ouvert, et criblé par vingt balles,
Lui-même alla tomber aux pieds des cannibales.

Le lendemain matin, les monstrueux bourreaux,
Redoutant un pays peuplé de tels héros,
Décimés et réduits à moins d'une centaine,
Reprenaient le chemin de leur forêt lointaine [17].

CADIEUX

— C'est le Grand-Calumet, portage des Sept-Chutes !
Cria José. Campons ! —

                        En deux ou trois minutes,
Nous étions sur la rive, et, près du flot ronflant,
Notre canot halé reposait sur le flanc.

Le soir tombait; au loin sur les collines chauves,
Un beau soleil couchant versait des lueurs fauves,
Pas un souffle de vent au fond des bois touffus;

Du rapide prochain les grondements confus
De cet endroit désert troublaient seuls le silence.

Bientôt, dans un état de demi-somnolence,
Après avoir, d'abord, mis le couvert auprès
D'un bon feu de bois sec allumé tout exprès,
Nous écoutions José, qui, sur notre demande,
Nous contait du pays la tragique légende.

— Demain matin, dit-il, — je traduis son récit, -
Nous pourrons visiter, à quelques pas d'ici,
Un humble monument dressé sur une tombe.
C'est une croix de bois vermoulue, et qui tombe
En ruine parmi des touffes de sureaux.
Cette tombe, messieurs, c'est celle d'un héros !

C'était à cette époque orageuse et lointaine,
Où des Cinq-Nations la puissance hautaine
De massacres sanglants désolait le pays ;

Où, dressé sur le seuil de nos bourgs envahis,
Le fantôme sanglant de l'Iroquois féroce
Tenait la colonie en une angoisse atroce

Un jour, tout un parti de francs coureurs des bois,
Dans des canots aux flancs affaissés sous le poids
De riches cargaisons, voyageurs intrépides,
Descendait l'Ottawa de rapide en rapides

Un jeune homme au regard rêveur et studieux,
Un brave, que ces fiers trappeurs nommaient Cadieux,
Connaissant l'algonquin, leur servait d'interprète
C'était un cœur viril, une âme toujours prête
A s'exposer à tout pour le salut d'autrui.
Nul d'entre eux ne savait raconter mieux que lui,
Ni rendre, avec des chants rythmés sur la pagaie,
Le voyage plus court et la route plus gaie
Il était même un peu père de ses chansons,
Et, poète illettré, sans aucunes leçons
Que les strophes du vent qui berce la feuillée,
Le jour sur l'aviron, le soir à la veillée,

Dans la naïveté d'une âme sans détours,
Aux échos du désert il chantait ses amours.

.

Un soir du mois de mai, l'interprète et ses hommes
Campaient précisément à l'endroit où nous sommes.
Auprès d'un feu pareil, ils apaisaient leur faim
D'un rustique souper qui tirait à sa fin,
Et chacun s'apprêtait, pour réparer ses forces,
A s'en aller dormir sous les huttes d'écorces,
Lorsqu'un jeune sauvage, au parti dévoué,
Arriva tout à coup, criant : — *Nattaoué!*

En rôdant sous les bois à la faveur des ombres,
Il avait entrevu les silhouettes sombres
De nombreux guerriers roux rampant dans les fourrés;
C'étaient des Iroquois, par la proie attirés,
Qui venaient pour cerner les trappeurs.

Chose grave,
— Chacun de ces coureurs de bois était un brave,

Un vaillant toujours prêt, dans un danger pressant,
A vendre au plus haut prix sa vie avec son sang, —
Mais ils avaient près d'eux des enfants et des femmes
Qui ne pouvaient tomber aux mains de ces infâmes
Il fallait les sauver.

                    Le parti découvert,
Il ne leur restait plus qu'un seul chemin ouvert
Le rapide — la nuit — masse d'eau furibonde
Heurtant sur les rochers sa course vagabonde,
Et qui, cachant la mort dans ses traîtres détours,
Épouvante les bois de ses hurlements sourds.
C'est dans ce gouffre affreux que luit la délivrance!. .
Si ce n'est le salut, c'est au moins l'espérance

Mais l'abîme franchi, le problème renait,
Les cruels Iroquois, dont l'esprit se connait
En ruses de combats. d'espaces en espaces
Se sont échelonnés et surveillent les passes
Il faut ici quelqu'un pour tromper l'ennemi.
Il faut absolument qu'on choisisse parmi
Tous ces désespérés un homme qui consente

A couvrir de son corps la terrible descente :
Qui se dévouera?

         — Moi, dit simplement Cadieux.

Le temps presse. On se fait de rapides adieux.
Les canots sont parés ; on invoque la Vierge ;
Et, tandis que Cadieux, qui remonte la berge,
Jette un coup de fusil aux cent échos du soir,
On lance les canots dans le tourbillon noir.

Tout disparaît soudain dans l'ombre et dans l'écume.
Emportée au courant qui tournoie et qui fume,
Dans le bouillonnement des lames en rumeurs,
Chaque embarcation fuit avec ses rameurs.
Les hardis canotiers luttent dans la tempête ;
Le coup d'œil en arrêt, le bras sûr, tenant tête
Au choc tumultueux des flots échevelés,
Ils guident sans pâlir les canots affolés,
A travers les écueils qui sans cesse surgissent.

Bondissant au sommet des vagues qui mugissent,
Ou plongeant tout à coup dans les écroulements
Des remous en fureur, ces dompteurs d'éléments
Sur l'abime fougueux passent comme des rêves ;
Pendant que derrière eux, sur la pente des grèves,
Les grands pins chevelus, pleins de brume et de bruit,
Comme des spectres noirs s'enfoncent dans la nuit.

— Ah ! messieurs, fit José, je ne crains pas les luttes
De l'aviron, mais là, descendre les Sept-Chutes,
Nom d'un chien ! aussi vrai que je suis de Sorel,
Je l'ai dit bien des fois, ça n'est pas naturel
Aussi raconte-t-on qu'une femme sauvage,
Pendant que les canots s'éloignaient du rivage,
Avait vu, dans le pli des grands brouillards douteux,
Un long fantôme blanc qui fuyait devant eux

Quoi qu'il en soit, après ce hardi pilotage,
Qui les avait conduits jusqu'au pied du portage,
Nos fugitifs étaient à l'abri du péril
Attirés en amont par les coups de fusil

Que le vaillant Cadieux répétait à distance,
Les Iroquois avaient manqué de surveillance ;
Et, désertant leur camp sur la rive embusqué,
Dans le gouffre écumeux n'avaient rien remarqué.
Les braves voyageurs étaient sauvés.

                                        Sans doute
Que le pauvre Cadieux, égaré sous la voûte
Des bois épais, longtemps dut errer au hasard,
De ravins en ravins traqué comme un renard ;
Et sans doute qu'aussi, de dévoûment prodigue,
Bien qu'épuisé de faim, de soif et de fatigue,
Longtemps, à la façon de nos rudes chasseurs,
Il avait harcelé ses lâches agresseurs,
Qui de dépit enfin battirent en retraite ;
Toujours est-il qu'un jour l'héroïque interprète,
Abandonné de tous, sans espoir désormais,
S'arrêta. Que fit-il? On ne le sut jamais ;
On le devine.

                    Après une longue semaine,
Ses anciens compagnons que le devoir ramène

Remontaient le portage, apportant des secours
Ils battirent les bois durant quatre ou cinq jours,
Et, fatigués enfin de recherche impuissante,
Ils allaient, l'âme en deuil, reprendre la descente,
Lorsque, sous un abri d'épaisse frondaison,
Une croix de bois brut qui sortait du gazon
Attira leurs regards

                    C'était dans ce lieu même

Les chercheurs, à l'aspect de ce funèbre emblème,
Accoutumés à tout, ne furent pas surpris,
Dans leur mâle douleur ils avaient tout compris.

Ils s'approchèrent. Là, dans une fosse ouverte,
De quelques branches d'arbre à demi recouverte,
Un cadavre gisait, à peine refroidi
C'était Cadieux ; son front par la mort alourdi
Gardait comme un reflet de l'oraison suprême
Dans sa main décharnée un rustique poème,

Que, sans doute déjà couché dans son tombeau,
Le doux martyr avait écrit sur un lambeau
D'écorce, reposait sur sa poitrine éteinte.
C'était son chant de mort et sa dernière plainte.

Ici se termina le récit de José.

Le lendemain matin, alerte, et reposé
Par une nuit d'été fraîche et réconfortante,
Pendant qu'on déjeunait et qu'on pliait la tente,
J'allai, l'émotion dans l'âme et le front nu,
Saluer le tombeau du héros inconnu.

Cinq minutes après, nous dansions sur la vague ;
Et, sur son aviron penché, le regard vague,
Notre guide, aux échos du matin radieux,
A tue-tête chantait la *Complainte à Cadieux* [18].

DEUXIÈME ÉPOQUE

A LA NAGE!

Phipps bombardait Québec. *1690*

　　　　　　　　　Du haut de son nid d'aigle,
Frontenac tenait ferme et ripostait en règle.

La veille, un envoyé de l'amiral anglais
Avait, signaux en mains, pris pied sur les galets
Où du cap Diamant l'escarpement se dresse,
Et, porteur d'un message insolent dont l'adresse
Ne dissimulait point l'orgueilleuse teneur,
S'était fait introduire auprès du gouverneur.

Celui-ci, digne et grand comme un guerrier de Troie,
Calme, avait répliqué :

                        — Dite à qui vous envoie
— Pas besoin, n'est-ce pas, d'en faire un parchemin —
Que mes canons français lui répondront demain [19] ! —

Et Phipps de ses vaisseaux, Québec de ses murailles,
Échangeaient acharnés des trombes de mitrailles.

C'était un imposant spectacle en son horreur.
Le bronze inconscient, comme pris de fureur,
Dans ce cirque bordé de forêts séculaires,
Semblait de l'âme humaine emprunter les colères.
Tandis que l'assiégeant, de ces boulets rougis,
Démantelait les murs, éventrait les logis,
Et menaçait enfin de tout réduire en poudre,
La faible garnison, tonnant comme la foudre,
Criblait les lourds vaisseaux jusqu'à leur flottaison.

Enfermée au milieu de ce vaste horizon
De grands rochers à pic, de gorges ténébreuses,
De longs coteaux boisés, de montagnes ombreuses,
Dont les cent mille échos portaient jusqu'au désert
Les sauvages accords du farouche concert
Qui du fleuve grondant montaient jusqu'à leur cime,
Malgré son noir cachet la scène était sublime !

Tout à coup des vaisseaux part un cri de démon
Du navire amiral la corne d'artimon,
Qu'a coupée un boulet bien pointé de la rive,
Avec son pavillon culbute à la dérive

Aussitôt, à ce cri de colère éperdu
Du haut de nos remparts un autre a répondu, —
Une acclamation de triomphe et de joie .
Ce drapeau que le flot emporte, quelle proie !

Un canot du navire anglais s'est détaché,

Mais un autre boulet juste à temps décoché,
Avant même qu'un quart de minute s'écoule,
Va lui crever le flanc, le renverse, et le coule.

— Allons ! dit Frontenac, ce drapeau c'est la croix !
Qui sera chevalier?

   — Moi ! répond une voix.

Et, dans les mille bruits du vent et du carnage,
Un jeune homme s'avance et se jette à la nage.

— Bravo! bravo! bravo!

   Maintenant tous les yeux,
Tournés vers un seul but, concentrés, anxieux,

Vont suivre désormais le tout petit sillage
Qui trahit du héros l'audacieux voyage
Lui nage avec vigueur, tête haute, ou plongeant
Sous le feu des Anglais, qui jurant et rageant,
Pour sauver leur drapeau, de loin, sans intervalles,
Tout autour du point noir font crépiter les balles
La vague est suffocante et le courant est fort
N'importe ! sans faiblir, et redoublant d'effort,
L'homme rit du péril et s'avance quand même

A de certains moments, anxiété suprême,
On n'aperçoit plus rien Est-ce fini ? . Mais non !
Le nageur reparaît aux éclairs du canon,
Et s'avance toujours haletant et farouche
Vers le drapeau flottant.

                    Il l'atteint, il le touche .

— Hourra !

Trois jours plus tard, quand, après maint échec
Plus ou moins désastreux, du bassin de Québec
Phipps dut battre en retraite avec sa flotte anglaise,
Le drapeau prisonnier flottait sur la falaise [20].

APPARITION

— Oui, messieurs, j'ai vu ça, vu comme je vous vois,
Fit l'homme avec un tremblement sincère dans la voix.
C'était par un matin brumeux du mois d'octobre,
J'étais bien éveillé, dans mon bon sens, et sobre .
Ah! pour ça, parlez-en au capitaine Augé,
Qui me vit revenir pâle et le sang figé,
Quasiment comme un mort sorti du cimetière.

J'étais allé parer ma chaloupe côtière,
Sur la pointe, là-bas, en amont des brisants,

Pour un voyage au Bic. D'après les médisants,
Dieu voulut me punir, car c'était un dimanche.
Pas plus de vent que sur la main; mais en revanche
Un brouillard, mes enfants, à couper au couteau.

J'avais à peine mis le pied sur le plateau,
Boum!... un coup de canon. Allons, me dis-je, qu'est-ce?
Et puis des roulements lointains de grosse caisse,
De brefs commandements en anglais, des jurons,
Des sifflements aigus, des appels de clairons,
Des bruits de porte-voix et d'armes qu'on décharge...
Le diable! Et tout cela venant tout droit du large,
Indistinct, indécis, mystérieux, confus,
Un vrai rêve! et sortant du grand brouillard diffus,
Comme un charivari parti de l'autre monde.

Alors, messieurs, — tenez, que le ciel me confonde
Et me punisse aussi longtemps que je vivrai,
Avec tous mes enfants, si je ne dis pas vrai, —
Par un trou du brouillard qu'on ne soupçonnait guère,
J'aperçus tout à coup huit gros vaisseaux de guerre,

De voilure inconnue et d'ancien gabarit,
Qui, poussés par un vent dont l'effet m'ahurit,
Pavillons à la corne et tout couverts de toile,
Vers les rochers du bord couraient à pleine voile

Cette apparition dura bien peu d'instants,
Mais, dans les déchirés des brumes, j'eus le temps
D'entrevoir à peu près comme de vagues formes
D'anciens soldats couverts d'étranges uniformes,
Qui, par masses, groupés sur les gaillards d'avant,
Jetaient mille clameurs sinistres dans le vent

Naufrage inévitable, horrible

                          — Sainte Vierge !
M'écriai-je, et ma foi, j'allais promettre un cierge,
Mais je n'eus pas le temps de marmotter mon vœu
Cric ! crac ! . dans un fracas du tonnerre de Dieu,
Je vis la, devant moi, tous ensemble, et tout proches,
Les huit grands voiliers noirs s'abîmer sur les roches .

— Et puis?

— Et puis plus rien; tout comme auparavant,
Moins le brouillard chassé par le soleil levant.
Messieurs, par mon patron, le grand saint Chrysostome,
J'avais vu les vaisseaux de l'amiral fantôme!
Ne soyez pas surpris si mes pas sont tremblants;
C'est depuis ce jour-là que mes cheveux sont blancs! —

Celui qui nous parlait était un vieux pilote,
Qui jurait ses grands dieux, son âme et saprelotte,
Que jamais il n'avait, même en vidant son broc,
Fait à la vérité le plus petit accroc.
Quoi qu'il en fût, chacun, même le plus sceptique
De ceux qu'intéressait ce récit fantastique,
En écoutant cela conté de bonne foi,
Se sentait frissonner sans trop savoir pourquoi.

Tout s'y prêtait un peu, du reste; la chaloupe
Qui nous portait avait, sous son tribord, le groupe

Des Sept-Iles; et là, tout près, devant nos yeux,
Moutonnaient les fatals brisants de l'Ile-aux-Œufs,
Témoins d'un des plus grands naufrages de l'histoire.

Par tout ce que la guerre a de plus vexatoire,
L'Angleterre, depuis plus de cent ans déjà,
Harassait le pays. Un jour elle jugea
Qu'il était enfin temps d'en finir. Bonne aubaine,
Les colons haletaient et respiraient à peine
Un grand coup, hardiment et brusquement porté,
Lui conquérait un sol trop longtemps convoité,
Ruinant pour jamais la France au nouveau monde

Sa force l'enhardit, la saison la seconde
Vite, une grosse flotte, une armée!   Et bientôt
Québec désespérée, aux abois, ou plutôt
Comme fatalement écrasée à l'avance,
Apprend avec effroi que l'ennemi s'avance,
Et, vainqueur sans merci, sillonne en conquérant,
De ses nombreux vaisseaux le golfe Saint-Laurent

Devant cet horizon de tempête qui gronde,
On peut se figurer l'anxiété profonde
Qui, gagnant les plus forts, bientôt régna partout
Dans le pays surpris, cerné, manquant de tout.
Québec, le boulevard, était à l'agonie;
Et Québec prise, adieu toute la colonie!

Enfin, la garnison était au désespoir,
Quand de la citadelle on entendit, un soir,
Dans le bruit du tambour et du tocsin qui clame,
Monter de tous côtés ce cri :

       — A Notre-Dame!

C'était la ville entière, hommes, femmes, enfants,
Qui, fidèles pieux ou chrétiens peu fervents,
Procession d'instinct que la foule improvise,
En masse suppliante envahissait l'église...

Et, pendant que, dans l'ombre, au pied de l'Éternel,
Résumant sa prière en un vœu solennel,
Québec s'agenouillait dans son modeste temple,
Catastrophe inouïe, horrible, sans exemple,
Sur ces rocs où, dit-on, son fantôme revient,
La flotte de Walker se perdait corps et bien !

On dit que l'amiral, par force ou perfidie,
En route, à la nuit close, en un port d'Acadie,
Avait pris à son bord un loup de mer errant
Qui connaissait à fond les eaux du Saint-Laurent,
Et, pistolet au poing, l'avait, fatal pilote,
Imprudemment forcé de diriger la flotte

L'obscur héros, trompant nos agresseurs haïs,
S'était suicidé pour sauver son pays[21] !

LE DERNIER DRAPEAU BLANC

Combien ai-je de fois, le front mélancolique,
Baisé pieusement ta touchante relique,
O Montcalm !—ce drapeau témoin de tant d'efforts,
Ce drapeau glorieux que chanta Crémazie,
Drapeau qui n'a jamais connu d'apostasie,
Et que la France, un jour. oublia sur nos bords[1]

Devant ces plis sacrés troués par les tempêtes
Qui tant de fois jadis ont tonné sur nos têtes,
Combien de fois, Montcalm, en rêvant du passé,

N'ai-je pas évoqué ta sereine figure,
Grande et majestueuse ainsi que l'envergure
De l'aigle qu'un éclat de foudre a terrassé !

Je revoyais alors cette époque tragique,
Où, malgré ton courage et la force énergique
D'un peuple dont on sait l'héroisme viril,
Se déroula la sombre et cruelle épopée
Qui devait d'un seul coup, en brisant ton épée,
Te donner le martyre et nous coûter l'exil.

Je sentais frissonner cette page émouvante
Où l'on vit, l'arme au bras, calme, sans épouvante,
Par de vils brocanteurs vendu comme un troupeau,
Raillé des courtisans, trahi par des infâmes,
Un peuple tout entier, vieillards, enfants et femmes,
Lutter à qui mourra pour l'honneur du drapeau !

Qu'ils furent longs, ces jours de deuil et de souffrance ! ..
Nous t'avons pardonné ton abandon, ô France !
Mais s'il nous vient encor parfois quelques rancœurs,

C'est que, vois-tu, toujours, blessure héréditaire,
Tant que le sang gaulois battra dans notre artère,
Ces vieux souvenirs-là saigneront dans nos cœurs!

C'est que, toujours, vois-tu, quand on songe à ces choses,
A ces jours où, martyrs de tant de saintes causes,
Nos pères, secouant ce sublime haillon,
Si dénués de tout qu'on a peine à le croire,
Pour sauver leur patrie et défendre ta gloire,
Allaient, un contre cinq, illustrer Carillon[22],

Quand on songe à ces temps de fièvres haletantes,
Où, toujours rebutés dans leurs vaines attentes,
Nos généraux, devant cet insolent dédain,
Étaient forcés, après vingt victoires stériles,
De marcher à l'assaut et de prendre des villes
Pour donner de la poudre à nos soldats sans pain,

Oui, France, quand on rêve à tout ce sombre drame,
On ne peut s'empêcher d'en suivre un peu la trame,
Et de voir, à Versaille, un Bien-Aimé, dit-on,

Tandis que nos héros au loin criaient famine,
Sous les yeux d'une cour que le vice efférmine,
Couvrir de diamants des Phrynés de haut ton[1]

O drapeau! vieille épave échappée au naufrage[1]
Toi qui vis cette gloire et qui vis cet outrage,
Symbole d'héroïsme et témoin accablant,
Dans tes plis qui flottaient en ces grands jours d'alarmes,
Au sang de nos aïeux nous mêlerons nos larmes...
Mais reste pour jamais le dernier drapeau blanc[23][1]

LES PLAINES D'ABRAHAM

L'assiégeant se rangeait sur l'immense plateau.
Or Montcalm l'avait dit . — L'on me verra, plutôt
    Que de céder au nombre,
Jusqu'au dernier moment défendre sans pâlir
Mes derniers bastions, et puis m'ensevelir
    Sous leur dernier décombre[1]

Depuis des mois déjà, l'implacable ennemi
Avait, sans respirer, sur la ville, vomi
    Des torrents de mitrailles,

Et, pillant la campagne et les forts envahis,
Des hordes de soudards étreignaient le pays
        Comme dans des tenailles.

Québec, que bombardaient quarante gros vaisseaux,
N'offrait plus aux regards que débris et monceaux
        De ruines croulantes ;
Et, des tours aux clochers, le feu torrentiel
Nuit et jour détachait, sinistre, sur le ciel
        Ses spirales sanglantes.—

Montcalm, désespéré, mais sans faillir pourtant,
Du haut de ses remparts, voyait à chaque instant,
        Depuis la Canardière
Jusqu'à perte de vue, et main basse sur tout,
Des bandes se ruer en promenant partout
        La torche incendiaire.

Un jour, Wolfe, qu'enrage échec après échec,
Débarqué nuitamment, pour surprendre Québec,
        Joyeux, se met en route ;

Près de Montmorency, son rival qui l'attend
Fond sur lui, l'enveloppe, et met tambour battant
    Son armée en déroute.

Mais la lutte touchait à son terme; un Vergor,
Bazaine de jadis, avait pour un peu d'or
    Entre-bâillé nos portes [24],
Et Wolfe, risquant tout sur la carte à jouer,
Dans la plaine où le drame allait se dénouer
    Déployait ses cohortes.

On n'avait plus de pain, et la ville râlait
Point d'autre alternative à choisir : il fallait
    Accepter la bataille.
Les deux guerriers, lassés par tant de vains efforts,
Allaient enfin pouvoir s'étreindre corps à corps,
    Et mesurer leur taille.

Montcalm a sous les murs rangé ses bataillons.
Et bientôt, remplissant de ses noirs tourbillons
    L'atmosphère ébranlée,

Sous un ciel par des flots de fumée obscurci,
Dans les acharnements d'un combat sans merci,
        Rugit l'âpre mêlée.

Le spectacle était fauve, et grand comme l'enjeu.
Ce panache effrayant de tonnerre et de feu
        Couronnant cette cime,
Faisait presque l'effet d'un volcan déchaîné.
Jamais plus fier tableau n'avait illuminé
        Un cadre plus sublime !

Et les deux généraux, oubliant le danger,
Sous le plomb foudroyant se prenaient à songer
        Que ce canon qui gronde,
Au terrible hasard d'un succès incertain,
Jouait, sur ce fatal échiquier du destin,
        Le sort du nouveau monde !

Hélas ! des nations l'arbitre avait parlé,
Le Canada français, au firmament voilé,
        Voyait pâlir son astre ;

Et, dans leurs étendards les deux rivaux drapés,
Vainqueur comme vaincu, tombaient enveloppés
        Dans le même désastre.

Montcalm, le fier héros que, dans son drapeau blanc,
Les Romains d'autrefois eussent voulu, sanglant,
        Porter au Capitole,
Voyant ses vétérans sous le nombre plier,
En mourant avait su, comme un preux chevalier,
        Racheter sa parole[25]!

DERNIER COUP DE DÉ

— Une voile! une voile!...

                    A ce long cri de joie
Que chaque écho sonore a l'autre écho renvoie,
Un double cri parti de deux points divergents,
Défi des assiégés, hourra des assiégeants,
Clameurs à tous les cœurs par l'espoir arrachées,
Répondit coup sur coup des murs et des tranchées.
— Sauvés! s'écriait-on ensemble; et les bravos
Éclataient à la fois dans les deux camps rivaux.

C'était au lendemain des fameuses journées
Qui devaient à jamais fixer nos destinées.
Montcalm — qui triomphait naguère à Carillon —
Se taillant un linceul dans son fier pavillon,
Trahi par la victoire avait donné sa vie,
Disant comme autrefois le vaincu de Pavie .

— Tout est perdu, hélas! hors l'honneur du drapeau!

Sur son corps les vainqueurs passant comme un troupeau
Avaient, semant partout le carnage et la flamme,
Arboré sur nos murs leur sanglante oriflamme.
Québec, comme deux ans plus tôt Chandernagor,
Affamé par Bigot [26] et vendu par Vergor,
Sans poudre, sans canons, sans vivres, sans ressources,
De l'héroïsme ayant tari toutes les sources,
Avait brisé son glaive ainsi qu'un ancien preux.
Sur ses remparts croulants, sur ses créneaux poudreux,
Pour relever les plis de la bannière blanche,
Lévis, cet immortel soldat de la revanche,
Avait, ressuscitant l'espoir au fond des cœurs,

Dans un suprême effort écrasé les vainqueurs[27] !

Et l'Anglais dans les murs, le Français sous la tente,
Assiégés, assiégeants, s'épuisaient dans l'attente
Des secours si longtemps implorés d'outre-mer.

Tous les matins, Lévis, de son regard amer,
Les yeux rougis, sondait les lointains du grand fleuve.
Murray, de son côté, braquait vers Terre-Neuve
Sa lunette de nuit qui tremblait dans sa main....

Et l'on se demandait : — Qu'adviendra-t-il demain?

Chez les deux combattants l'angoisse prédomine ;
Désormais l'ennemi commun, c'est la famine !
Le courage de l'homme a dit son dernier mot ;
Le destin maintenant a la parole ; il faut

Que l'aube à l'un ou l'autre apporte l'espérance.
L'aube, est-ce l'Angleterre, ou sera-ce la France?..
Jamais deux joueurs, l'un devant l'autre accoudé,
N'avaient encor pâli sur un tel coup de dé. .
Terrible incertitude, anxiété profonde,
La voile à l'horizon, c'est la moitié du monde!

Une voile! une voile! a-t-on crié là-bas,
Et, minés par la faim, brisés par les combats,
Déguenillés, transis, vaincus de la souffrance,
Nos soldats ont poussé ce cri sublime : — France!

Doute affreux! Incliné sous ses huniers géants,
Un navire doublait la pointe d'Orléans.
De quel côté, mon Dieu, va pencher la balance?
Maintenant les deux camps haletaient en silence.
Qu'on juge s'ils étaient poignants, accélérés,
Les battements de cœur de ces désespérés!
La pâleur de la mort glaçait tous les visages;
Les minutes étaient longues comme des âges!

Enfin, le lourd trois-mâts, toutes voiles dehors,
Et démasquant soudain ses deux rangs de sabords,
Vaisseau fatal sur qui l'ombre du destin plane,
Sous les canons du fort parc à se mettre en panne.
Nul étendard ne flotte à son mât d'artimon.
Est-il contre ou pour nous? est-il ange ou démon?
On ne respirait plus. Lévis, la mort dans l'âme,
Attendait calme et froid le dénoûment du drame.

Tout à coup, du vaisseau qui présente son flanc,
Un éclair a jailli dans un nuage blanc :
C'est un coup de canon. L'âpre voix de la poudre,
Répercutée au loin comme un éclat de foudre,
Va se perdre, sinistre, au fond des bois épais.
Et les guerriers saxons du haut des parapets,
Et les soldats français penchés sur les falaises,
Virent monter au vent... les trois couleurs anglaises!

Le sort avait parlé, notre astre s'éclipsait....
L'exil cruel, sans fin, d'un peuple commençait.

Un roi sans cœur, jouet d'une femme lubrique,
Pour défendre la France et sauver l'Amérique,
N'avait pas même su — le lâche libertin! —
Dépêcher vers nos bords le traînard du destin [28]!

L'*ATALANTE*

Quand je lis ton histoire héroïque, ô *Vengeur!*
Mon cœur français tressaille, et je deviens songeur.

Ce fut un fier tableau dans un immense cadre :
Un seul vaisseau luttant contre toute une escadre,
Troué par les boulets, vaincu, désemparé,
Qui, parmi les horreurs d'un combat effaré,
Et pendant que le feu ronge son oriflamme,
Au sein d'un tourbillon de fumée et de flamme,
S'abîme en pleine mer avec ses matelots
Comme un soleil sanglant qui plonge dans les flots,
Cela semble un feuillet de la légende antique.

Le drame est saisissant! Pour scène l'Atlantique,
Pour décor l'horizon des mornes océans;
Pour acteurs ces trois-ponts avec leurs mâts géants,
Lançant à pleins sabords la mitraille et la bombe,
Et, penché sur le gouffre où descend l'hécatombe,
Toujours fier d'assister à ces chocs surhumains,
Pour spectateurs, un monde au loin battant des mains!

Ton sort fut plus modeste, ô ma pauvre *Atalante*!
Ce n'est pas une mer que ta chute ensanglante;
Nulle armée en tes flancs étroits ne s'engloutit,
Un théâtre moins vaste, un cadre plus petit
Donnèrent un éclat moindre à ta fin stoïque,
Mais qui dira lequel est le plus héroïque
— Quels que soient les échos qu'ils aient fait retentir —
Du grand homme mourant ou de l'obscur martyr?

On touchait à la fin de la lutte sans trêve.
Épave fulgurante échouée à la grève,
L'*Atalante*, enfermée en un cercle de feu,
Luttait depuis l'aurore à la grâce de Dieu.

Trois gros vaisseaux anglais la foudroyaient ; et seule,
Contre cent vingt canons chargés jusqu'à la gueule
Et vomissant sur elle une averse de fer,
L'*Atalante* échouée affrontait cet enfer.

Vauquelain, un héros qu'eût envié la Grèce,
Défendant jusqu'au bout sa corvette en détresse,
Au seul mât que n'eût point rasé le tourbillon,
Dans la tempête avait cloué son pavillon.
Et, sombre, il regardait beaupré, chaînes, cordages,
Grands huniers en lambeaux, lourds éclats de bordages,
Vergues et galhaubans, guindeaux, câbles, crampons,
Sous les chocs meurtriers qui labouraient les ponts,
Avec des cliquetis horribles de ferrailles,
Pêle-mêle sauter dans des vols de mitrailles.

Sur le vaisseau mourant rien qui ne soit atteint.
De ses seize canons le dernier s'est éteint,
En jetant je ne sais quel hoquet d'agonie.

— Commandant, dit quelqu'un, la bataille est finie,
La sainte-barbe est vide, et je suis seul debout! —

Et l'artilleur blessé s'affaissa tout à coup,
Laissant Vauquelain seul sur l'épave croulante
Qui, le matin encor, se nommait l'*Atalante*

L'incendie attaquait le vaisseau par l'avant.
Alors, du grand désastre unique survivant,
Au pied du tronçon noir où la bannière blanche
Claquait encore au vent de la sombre avalanche,
Le vaincu du destin se coucha pour pleurer

Quelques instants plus tard, quand, pour s'en emparer,
L'amiral ennemi, du pont de sa chaloupe,
De l'*Atalante* en feu se hissa sur la poupe .

— Capitaine, dit-il, compliments superflus !
Que font donc vos marins que vous ne tirez plus ?

—Point de poudre, monsieur ! S'il m'en restait une once,
Mes pistolets seraient chargés... de la réponse !

— Alors pourquoi ne pas amener pavillon ?

A ces mots Vauquelain bondit sous l'aiguillon :

— Amener pavillon ! cria-t-il ; par la foudre,
Amiral, vous avez du plomb et de la poudre,
Vous, n'est-ce pas ? Eh bien, tuez-moi sans merci ;
Car, avant d'amener le drapeau que voici,
Je subirai cent fois la mort la plus vulgaire !...

. . . .

Le prisonnier eut tous les honneurs de la guerre.

Non seulement il fut remis en liberté,
Mais même on ordonna qu'un vaisseau fût frété,
Qui devait, noble hommage à sa haute vaillance,
Le conduire, à son choix, dans un des ports de France.

Hélas! le fier héros, ô France, tu le sais,
Devait tomber plus tard sous un poignard français [29].

FORS L'HONNEUR !

C'est par un soir humide et triste de l'automne.

Dans les plis du brouillard la plainte monotone
Du Saint-Laurent se mêle aux murmures confus
Des chênes et des pins dont les dômes touffus
Couronnent les hauteurs de l'île Sainte-Hélène.
Au loin tout est lugubre; on sent comme une haleine
De mort flotter partout dans l'air froid de la nuit.
Au zénith nuageux pas un astre ne luit.

Tout devrait reposer, pourtant, sur l'île sombre,
A certaines lueurs qui se meuvent dans l'ombre,
On croirait entrevoir, vaguement dessinés,
— Groupes mystérieux partout disséminés,
Et se serrant la main avec des airs funèbres, —
Comme des spectres noirs rôder dans les ténèbres.

Tout à coup, sur le fond estompé des massifs,
Et teignant d'or le fût des vieux ormes pensifs,
Dans les pétillements attisés par la brise
Et les craquements sourds du bois sec qui se brise,
Éclatent les rougeurs d'un immense brasier.

Prenant pour piédestal l'affût d'un obusier,
Un homme au même instant domine la clairière.
A son aspect, un bruit de fanfare guerrière
Retentit, du tambour les lointains roulements
Se confondent avec les brefs commandements
Qui, prompts et saccadés, se croisent dans l'espace
Place! c'est la rumeur d'un bataillon qui passe.
Un autre bataillon le suit, et tour à tour

On voit les régiments former leurs rangs autour
Du rougeoyant foyer dont les lueurs troublantes
Éclairent vaguement ces masses ambulantes,
A chaque baïonnette allumant un éclair.

Alors, couvrant le bruit, un timbre mâle et clair,
Où vibre je ne sais quel tremblement farouche,
Résonne, et, répétés tout bas de bouche en bouche,
Au milieu des rumeurs qui flottent dans le vent,
Laisse tomber ces mots :

    — Les drapeaux en avant!

Arrêtons-nous devant cette page d'histoire!

Nos conquérants étaient maîtres du territoire.
Cerné dans Montréal, le marquis de Vaudreuil,
Après plus de sept ans de luttes et de deuil,

Après plus de sept ans de gloire et de souffrance,
Ne voyant arriver aucun secours de France,
Dans sa détresse amère avait capitulé.

L'orgueilleux ennemi même avait stipulé,
— La rougeur à ma joue, hélas! en monte encore, —
Que le lendemain même, au lever de l'aurore,
Nos défenseurs, parqués comme de vils troupeaux,
Au général anglais remettraient leurs drapeaux
Leurs drapeaux !

          Ces drapeaux dont le pli fier et libre
Durant un siecle avait soutenu l'équilibre
Contre le monde entier, sur tout un continent !
Ces drapeaux dont le vol encor tout frissonnant
Du choc prodigieux des grands tournois épiques,
Cent ans avait jeté, des pôles aux tropiques,
Son ombre glorieuse au front des bataillons !
Ces drapeaux dont chacun des sublimes haillons,
Noir de poudre, rougi de sang, couvert de gloire,
Cachait dans ses lambeaux quelque nom de victoire !
Ces étendards poudreux qui naguère, là-bas,

Sous les murs de Québec, avaient de cent combats
Couronné le dernier d'un triomphe suprême!
Ces insignes sacrés, il fallait, le soir même,
Leur faire pour toujours d'humiliants adieux!

Indigné, révolté par ce pacte odieux,
Lévis, ce dernier preux de la grande épopée,
Le regard menaçant, la main sur son épée,
S'était levé soudain, et sans long argument,
Contre l'insulte avait protesté fièrement.

Vingt mille Anglais sont là qui campent dans la plaine!
Lui n'a plus qu'un débris d'armée à Sainte-Hélène :
N'importe! les soldats français ont su jadis
Plus d'une fois combattre et vaincre un contre dix!
La France indifférente au sort nous abandonne :
N'importe encore! on meurt quand le devoir l'ordonne!
Il veut sans compromis résister jusqu'au bout.
Il se retirera dans l'île, et là, debout
A son poste, en héros luttera sans relâche.

— Dans mes rangs, disait-il, il n'est pas un seul lâche !
Ne prêtez pas la main à ce honteux marché,
Je puis, huit jours au moins, dans mon camp retranché,
Avec mes bataillons tenir tête à l'orage,
Et si la France encor, trompant notre courage,
Refuse d'ici là le secours imploré,
Dans un combat fatal, sanglant, désespéré,
Tragique dénoûment d'une antique querelle,
Nous saurons lui montrer comment on meurt pour elle !

Vaudreuil signa pourtant. Refuser d'obéir,
C'était plus que braver la mort, c'était trahir

— Trahir ! avait pensé le guerrier sans reproche. .

Et c'est lui qui, dans l'ombre, avant que l'aube approche,
A ses soldats émus dans la nuit se mouvant,
Avait jeté ce cri   — Les drapeaux en avant !

Allait-il les livrer? Allait-il, à la face
De tous ces vétérans — honte que rien n'efface —
Souiller son écusson d'un opprobre éternel?
On attendait navré le moment solennel.

Lévis s'avance alors. Dans son œil énergique,
Où le feu du brasier met un reflet tragique,
Malgré son calme on sent trembler un pleur brûlant.
Vers les drapeaux en deuil l'homme marche à pas lent,
Et, tandis que la main de l'Histoire burine,
Lui, les deux bras croisés sur sa vaste poitrine,
Contemplant ces lambeaux où tant de gloire a lui,
Longtemps et fixement regarde devant lui.

Dans le fond de son cœur il évoquait sans doute
Tous les morts généreux oubliés sur la route,
Où, tout illuminés de reflets éclatants,
Ces guidons glorieux marchaient depuis cent ans.
Enfin, comme s'il eût entendu leur réponse,
Pendant que son genou dans le gazon s'enfonce,
Refoulant ses sanglots, dévorant son affront,

Sur les fleurs de lis d'or il incline son front,
Et, dans l'émotion d'une étreinte dernière,
De longs baisers d'adieu couvre chaque bannière

— Et maintenant, dit-il, mes enfants, brûlez-les,
Avant que d'autres mains les livrent aux Anglais !

Alors, spectacle étrange et sublime, la foule,
Ondulant tout à coup comme une vaste houle,
S'agenouille en silence ; et, solennellement,
Dans le bûcher sacré qui sur le firmament,
Avec des sifflements rauques comme des râles,
Détache en tourbillons ses sanglantes spirales,
Parmi les flamboiements d'étincelles, parmi
Un flot de cendre en feu par la braise vomi,
Sous les yeux du héros grave comme un apôtre,
Chaque drapeau français tomba l'un après l'autre !

Quelques crépitements de plus, et ce fut tout.

Alors, de Montréal, de Longueuil, de partout,
Les postes ennemis crurent, dans la rafale,
Entendre une clameur immense et triomphale;
C'étaient les fiers vaincus, qui, tout espoir détruit,
Criaient : *Vive la France!* aux échos de la nuit.

O Lévis! ô soldats de cette sombre guerre!
Si vous avez pu voir les hontes de naguère,
Que n'êtes-vous soudain sortis de vos tombeaux,
Et, vengeurs, secouant les augustes lambeaux
De vos drapeaux en feu, dans votre sainte haine,
Venus en cravacher la face de Bazaine!

JEAN SAURIOL

Au détour de la plaine où grandit Montréal,
Dans un site charmant, poétique, idéal,
Que longe le chemin de la Côte-des-Neiges,
Où du matin au soir serpentent les cortèges
Qui vont au rendez-vous de ceux qui ne sont plus,
Dans la déclivité d'un immense talus,
A l'ombre des bouleaux et des bosquets d'érables,
Se dressent les pans noirs, décrépits, misérables,
D'une ancienne masure effondrée et sans toit.
C'est là qu'un jour le morne archange, dont le doigt

Inflige la défaite ou fixe la victoire,
S'arrêta pour dicter une page à l'Histoire !

A l'époque sanglante où nos pères trahis
Défendaient corps à corps leurs foyers envahis,
Et, groupes de héros débordés par le nombre,
Touchaient au dénoûment fatal du drame sombre,
Dans ce logis, alors presque un petit manoir,
Dont les tons vigoureux tranchaient sur le fond noir
De la forêt encor vierge de la cognée,
Vivaient un vieux traiteur à mine renfrognée,
Nommé Luc Sauriol, sa femme et son fils Jean.

Celui-ci, gars robuste à l'œil intelligent,
Avait pour son pays déjà monté la garde.
Des soldats de Montcalm il portait la cocarde,
C'était un fier tireur, et l'Anglais n'avait point
Plus terrible ennemi la carabine au poing

Les cohortes d'Amherst avaient conquis la plaine ;
Et nos derniers vengeurs, campés dans Sainte-Hélène,

Attendaient l'arme au bras le signal de mourir,
Lorsqu'un jour Sauriol vit son fils accourir,
Et, grave, s'arrêter sur le seuil de la porte.

— Bonjour, père, dit-il; c'est moi! Je vous apporte
Un message pressant au nom du gouverneur.
Ce soir, à la nuit brune, il vous fera l'honneur
De s'arrêter ici pour affaire importante.
On dit, ajouta-t-il d'une voix hésitante,
Qu'il s'agit — le soldat tâtait ses pistolets —
D'une entrevue avec le général anglais...

Le soir même, en effet, — c'était le huit septembre, —
Le marquis de Vaudreuil, assis dans une chambre
Du manoir isolé dont les derniers lambris
Jonchent en ce moment le sol de leurs débris,
Le désespoir au cœur et l'âme à la torture,
Capitulait, livrant avec sa signature,
Entre les mains d'Amherst surpris de son succès,
Le dernier boulevard du Canada français.
On lui refusait même — affront d'âme vulgaire —
Pour nos soldats vainqueurs les honneurs de la guerre!

Le vieux Luc Sauriol, stupéfait, confondu,
En se rongeant les poings avait tout entendu
Lorsque tomba la plume, il se leva, farouche,
Prit son fils à l'écart, et l'index sur la bouche,
Le regarda longtemps un éclair dans les yeux.

— J'ai compris, lui dit Jean, serrant la main du vieux.

Puis, prenant son fusil de chasse d'un air sombre,
Il entr'ouvrit la porte et disparut dans l'ombre.

Le père ni le fils n'avaient capitulé.

Tout près, un chemin creux serpentait, accolé
Au pied d'un mamelon où des quartiers de roche
Avaient été rangés pour défendre l'approche
Des postes avancés par cette route-là.

Les officiers anglais devaient passer par là,
Au milieu de la nuit, pour rejoindre leurs lignes

Pour la première fois infidèle aux consignes,
Jean Sauriol y court, prend la chaîne d'un puits,
En barre fortement l'étroit passage, et puis
Monte sur les hauteurs se mettre en embuscade.
Quelques instants après, la noire cavalcade,
Avec un long éclat de rire goguenard,
S'engouffrait au grand trot au fond du traquenard

Ce fut terrible

    Au choc, la troupe tout entière
— Chevaux et cavaliers — roula dans la poussière,
Pêle-mêle, criant, hurlant, se débattant,
Pendant que Sauriol lançait au même instant,
Par vingtaine, du haut de la crête saillante,
De lourds éclats de roc sur la masse grouillante.

Un double eclair aussi perce l'obscurité ;
C'est encor Sauriol qui, dans l'ombre posté,
Tire sur les Anglais et les crible à outrance.
Enfin, poussant trois fois le cri : *Vive la France !*
Le soldat, déserteur et héros à la fois,
D'un pas ferme gagna l'épaisseur des grands bois.

Ce fut durant trois mois une chasse enragée.

Lorsque dans le sommeil la ville était plongée,
Un éclair tout à coup s'allumait quelque part,
Et mainte sentinelle, aux créneaux d'un rempart,
Victime sans merci d'une infernale adresse,
Tombait le front percé d'une balle traîtresse
Parfois, si Montréal respirait, — vis-à-vis,
Dans l'île où maintenant les soldats de Lévis
Voyaient flotter au vent l'étendard britannique, —
Le poste anglais, saisi d'une terreur panique,
Entendait résonner l'invisible mousquet,
Et trouvait l'un des siens râlant sur le parquet
Si quelque cavalier, hardi batteur d'estrades,

Osait sortir le soir tombé, ses camarades
Voyaient revenir seul le cheval effaré.
Presque toutes les nuits, le guet exaspéré
Trébuchait tout à coup sur une masse informe,
Où l'on reconnaissait le fatal uniforme.

Amherst, la rage au cœur, fit battre tous les bois .
Sur vingt soldats, un jour, il n'en revint que trois !
Enfin l'on n'osa plus se hasarder qu'en plaine...

Un vaincu tenait seul une armée en haleine

Mais l'âpre hiver allait venir, les massifs nus
N'offraient plus désormais, sous leurs dômes chenus,
Au pauvre guérillas de retraite bien sûre,
Et puis l'homme souffrait au bras d'une blessure
Qu'une balle avait faite un soir en ricochant.

Au flanc du Mont-Royal, du côté du couchant,

Dans le creux d'un ravin où chantait une source,
Il avait découvert la tanière d'une ourse —
Dont un épais fourré dissimulait l'abord
Jean Sauriol avait tué l'ourse d'abord,
— Pour lui cela n'était rien de bien difficile, —
Et puis il avait pris la place au domicile
Son père venait là lui porter à manger.
Que voulez-vous, à tout on ne peut pas songer,
Lui ne s'était muni que d'un baril de poudre
Avec du plomb, — assez, disait-il, pour découdre
Dans les règles de l'art un régiment d'Anglais.

Ces derniers avaient eu beau tendre leurs filets,
Sauriol leur glissait dans les doigts comme une ombre,
Et, lorsque les chasseurs qui le traquaient en nombre
S'applaudissaient déjà du succès obtenu,
Il s'enfonçait sous terre, et.. ni vu ni connu !

Cela ne pouvait pas toujours durer. La neige,
Le cernant dans son antre ainsi que dans un piège,
De tout secours humain l'isola tout à coup.

Le malheureux ne s'en désola pas beaucoup
Il avait fait depuis longtemps son sacrifice
Pourtant, si le regard à travers l'orifice
De la grotte, dans l'ombre, eût par hasard plongé,
Il eût plus d'une fois vu le pauvre assiégé
Transi, mourant de faim, pleurer dans les ténèbres..
Hélas! ce n'était pas pour lui ces pleurs funèbres,
On va le voir

Un jour — ses pas l'avaient trahi —
Sauriol vit soudain son refuge envahi
On le tenait.

Chez lui pas un muscle ne tremble

—Messieurs, dit-il, avant que nous partions ensemble,
Ecoutez bien ces mots que je dis sans remord
Je suis un meurtrier, je me condamne à mort!
Mais vous, les agresseurs! vous, nation vorace!
Oui, vous, les éternels ennemis de ma race!
Bourreaux de mon pays, vous mourrez avec moi!

Il dit, et, froidement, sans hâte, sans émoi,
Tire son pistolet dans le baril de poudre

Tout disparut. Ce fut comme un éclat de foudre.
La détonation ébranla les rochers ;
Les lourds quartiers de rocs, de leur base arrachés,
— Dans un immense cri d'indicible épouvante, —
Sautèrent dans l'espace, avec la chair vivante
De cent hommes hachés, brisés, agonisants...

Le lendemain matin, parmi les corps gisants,
Sur les débris glacés d'un désastre qui navre,
On trouvait un vieillard penché sur un cadavre
Qu'il semblait à son cœur presser avec transport ..

On s'approcha de lui : le pauvre homme était mort[30]

LES EXCOMMUNIÉS

Voyez-vous, sur le bord de ce chemin bourbeux,
Cet enclos en ruine où broutent les grands bœufs?
Ici, cinq paysans — trois hommes et deux femmes —
Eurent la sépulture ignoble des infâmes!

Cette histoire est bien triste, et date de bien loin.

Comme un soldat mourant la carabine au poing,

Québec était tombé. Sans honte et sans mystère,
Un Bourbon nous avait livrés à l'Angleterre !

Ce fut un coup mortel, un long déchirement,
Quand ce peuple entendit avec effarement,
— Lui qui tenait enfin la victoire suprême, —
Par un nouveau forfait souillant son diadème,
Le roi de France dire aux Saxons . — Prenez-les !
Ma gloire n'en a plus besoin ; qu'ils soient Anglais !

O Lorraine ! ô Strasbourg ! si belles et si grandes,
Vous, c'est le sort au moins qui vous fit allemandes !

Des bords du Saint-Laurent, scène de tant d'exploits,
On entendit alors soixante mille voix
Jeter au ciel ce cri d'amour et de souffrance

— Eh bien, soit ! nous serons français malgré la France !

Or chacun a tenu sa parole. Aujourd'hui,
Sur ce lâche abandon plus de cent ans ont lui ;
Et, sous le sceptre anglais, cette fière phalange
Conserve encore aux yeux de tous, et sans mélange,
Son culte pour la France, et son cachet sacré.

Mais d'autres, repoussant tout servage exécré,
Après avoir brûlé leur dernière cartouche,
Renfermés désormais dans un orgueil farouche,
Révoltés impuissants, sans crainte et sans remord,
Voulurent, libres même en face de la mort,
Emporter au tombeau leur éternelle haine...

En vain l'on invoqua l'autorité romaine ;
En vain, sous les regards de ces naïfs croyants,
Le prêtre déroula les tableaux effrayants
Des châtiments que Dieu garde pour les superbes ;
En vain l'on épuisa les menaces acerbes ;
Menaces et sermons restèrent sans succès !

—Non ! disaient ces vaincus ; nous sommes des Français,
Et nul n'a le pouvoir de nous vendre à l'enchère !

La foudre un jour sur eux descendit de la chaire :
L'Église, pour forcer ses enfants au devoir,
A regret avait dû frapper sans s'émouvoir

Il n'en resta que cinq

                    Ceux-là furent semblables,
Dans leur folie altière, aux rocs inébranlables
Ils laissèrent gronder la foudre sur leurs fronts,
Et malgré les frayeurs, et malgré les affronts,
Sublimes égarés, dans leur sainte ignorance,
Ne voulurent servir d'autre Dieu que la France !

La vieillesse arriva, la mort vint à son tour.
Et, sans prêtre, sans croix, dans un champ, au détour

D'une route fangeuse où la brute se vautre,
Chaque rebelle alla dormir l'un après l'autre.

Il n'en restait plus qu'un, un vieillard tout cassé,
Une ombre! Plus d'un quart de siècle avait passé
Depuis que sur son front pesait l'âpre anathème.
Penché sur son bâton branlant, la lèvre blême,
Sur la route déserte on le voyait souvent,
A la brune, rôder dans la pluie et le vent,
Comme un spectre. Parfois détournant les paupières
Pour ne pas voir l'enfant qui lui jetait des pierres,
Il s'enfonçait tout seul dans les ombres du soir.
Et plus d'un affirmait avoir cru l'entrevoir
— Les femmes du canton s'en signaient interdites —
Agenouillé la nuit sur les tombes maudites.

Un jour on l'y trouva roide et gelé.

                              Sa main
Avait laissé tomber sur le bord du chemin

Un vieux fusil rouillé, son arme de naguère,
Son ami des grands jours, son compagnon de guerre,
Son dernier camarade et son suprême espoir.

On creusa de nouveau dans le sol dur et noir ;
Et l'on mit côte à côte, en la fosse nouvelle,
Le vieux mousquet français avec le vieux rebelle !

Le peuple a conservé ce sombre souvenir.
Et lorsque du couchant l'or commence à brunir, —
Au village de Saint-Michel de Bellechasse,
Le passant, attardé par la pêche ou la chasse,
Craignant de voir surgir quelque fantôme blanc,
Du fatal carrefour se détourne en tremblant.

Donc, ces cinq paysans n'eurent pour sépulture
Qu'un tertre où l'animal vient chercher sa pâture !
Ils le méritaient, soit ! Mais on dira partout
Qu'ils furent bel et bien cinq héros après tout !

Je respecte l'arrêt qui les frappa, sans doute,
Mais, lorsque le hasard me met sur cette route,
Sans demander à Dieu si j'ai tort en cela,
Je découvre mon front devant ces tombes-là [11] !

LE DRAPEAU FANTOME

Nous sommes loin, bien loin

                              Ces bruits sourds et confus
Que le vent nous apporte à travers les grands fûts
Qui percent les fourrés ou bordent la prairie,
Ce sont les grondements du saut Sainte-Marie
Là, dans les lointains bleus qui bornent l'horizon,
Où paissaient autrefois l'élan et le bison,
Par delà la forêt et la chute qui gronde,
Se balancent les flots du plus grand lac du monde

A droite, c'est la Pointe-aux-Pins, endroit fameux,
Où, sur le seuil sacré de leurs wigwams fumeux,
Les guerriers tatoués des peuplades indiennes
Qui hantaient autrefois les forêts canadiennes
Échangèrent souvent le calumet de paix.
Du côté sud, masqués par des fourrés épais,
Le voyageur découvre, à deux pas du rivage,
Les restes d'un vieux fort nommé le fort Sauvage.

Foulons avec respect ces glorieux débris!

Louis quinze, en signant le traité de Paris,
— Honte qu'à tout jamais répudiera l'histoire, —
Avait livré ce vaste et fécond territoire
Dépassant les trois quarts de l'Europe en ampleur,
Comme un lopin de terre infime et sans valeur.
Nous étions devenus Anglais comme en un rêve!

Plus d'un siècle et demi d'héroïsme sans trêve,

De dévoûment sans fin, de travail incessant !
Tout un passé de gloire écrit avec du sang !
Un peuple, un continent, l'avenir, presque un monde,
Prodigués au profit d'une débauche immonde !...

Le vieux drapeau français dut refermer ses plis,
Et, fier témoin de tant de hauts faits accomplis,
Faire place partout aux couleurs d'Angleterre.
Sur un point cependant il se fit réfractaire,
Ce fut au fort Sauvage Un brave y commandait,
Nommé Cadot Malheur à qui se hasardait
A provoquer cet homme à rude et forte trempe !
Il cloua simplement le drapeau sur sa hampe.

Un envoyé du roi d'Angleterre arriva. .

— Passe au large, dit-il, j'en ai vu d'autres, va !

— Mais ce fort maintenant est un fort britannique.

— Vous dites? fait Cadot d'une voix ironique;
Eh bien, venez-y voir! j'ai trois petits canons
Qui seront enchantés de vous dire leurs noms.

— Nous vous sommons, monsieur...

                              — Et moi, je vous invite
A rebrousser chemin tous ensemble, et plus vite!
Au large, entendez-vous! Ou sinon mes boulets
Vous auront bientôt fait savoir s'ils sont anglais.

— Commandant, lui dit-on, vous êtes un rebelle;
Prenez garde!

              — Allons donc! vous me la baillez belle,
Fit en riant Cadot; depuis quand votre roi
De commander ici s'arroge-t-il le droit?

— Depuis qu'un souverain qu'on nomme roi de France

Nous a cédé son titre à la prépondérance.
Allons, vite, amenez votre drapeau !

                              — Oui-da !
Le roi de France aurait vendu le Canada !
Eh bien, l'on ne vend pas les Français qu'il renferme
Si vous croyez pouvoir nous prendre, allez-y ferme !
Car tant que je serai vivant et le plus fort,
Mon drapeau flottera sur le donjon du fort
Allez ! —

          Durant six mois, Cadot, sombre et farouche,
Fit ses provisions de combat et de bouche,
Arma du mieux qu'il put sa faible garnison ;
Et puis il attendit, calme, et sur l'horizon
Sans relâche tenant fixé son regard d'aigle.

Il lui fallut enfin subir un siège en règle.

Sitôt que le printemps facilita l'accès

Des parages lointains où le vieux fort français
Ouvrait toujours au vent sa bannière insoumise,
Soixante grenadiers des bords de la Tamise
Débarquèrent un jour dans les remous du saut.

Le lendemain matin, on marchait à l'assaut.

Dix hommes seulement défendaient la redoute.
La victoire fut rude, et coûta cher sans doute ;
Mais Cadot, héroïque en sa rébellion,
Du haut de ses remparts lutta comme un lion ;
Et les troupes du roi reculèrent hachées.

On investit la place ; on creusa des tranchées ;
Et ces fiers conquérants résolurent enfin
De vaincre à temps perdu l'assiégé par la faim.

Mais les précautions de Cadot sont bien prises.

Toujours sur le qui-vive, à l'affût des surprises,
Près du cercueil des morts, au chevet des mourants,
— Car les mousquets anglais ont éclairci ses rangs, —
L'étrange révolté veille et se multiplie,
Tandis que le drapeau, sur sa hampe qui plie,
En face des Anglais enfermés dans leur camp,
Au vent flotte toujours intact et provocant.

A de forts ennemis croyant avoir affaire,
Les assiégeants honteux et ne sachant que faire
N'osaient plus hasarder un combat désastreux,
Maudissant le guignon, se querellant entre eux,
Ils passèrent l'été, sans que ni violence
Ni ruse, un seul instant, trompât la vigilance
De Cadot, que jamais rien ne put assoupir

Or, l'automne arrivé, il fallait déguerpir
Un beau matin, plus rien! Sans tambour ni trompette,
Les Anglais avaient pris la poudre d'escampette.
Battus, manquant de tout, et craignant pour leur peau,
Ils avaient laissé là Cadot et son drapeau,

Et regagnaient Québec par la route du fleuve.

C'étaient huit mois au moins de gagnés.

                                        Mais l'épreuve
Avait été terrible et fatale au vainqueur.
Sur ses neuf compagnons, tous des hommes de cœur,
Cadot ne comptait plus que deux soldats valides ;
Mais c'étaient comme lui deux paroissiens solides,
Qui n'avaient pas souvent, comme on dit, froid aux yeux.

Devant le vieux drapeau dont le pli glorieux,
Sur le fond vert des bois, comme un vol de mouette,
Faisait toujours trembler sa blanche silhouette,
Dans un serment farouche, étrange, solennel,
Ils jurèrent tous trois leur salut éternel
Que, sans faillir, et tant qu'une dernière goutte
De sang leur resterait au cœur, coûte que coûte,
Et dût le monde entier fondre sur le vieux fort,
Tous trois, se roidissant dans un suprême effort,

Même quand aurait fui tout rayon d'espérance,
Couvriraient de leurs corps le drapeau de la France!
Et que le survivant, dût-il s'éteindre seul,
De son dernier lambeau se ferait un linceul!

— Et maintenant, mes vieux, dit Cadot, *Notre Père!*

Et ce Quelqu'un d'en haut en qui toute âme espère
Vit ces désespérés, au regard sombre et doux,
Auprès du vieux drapeau, qui priaient à genoux!

Les débris cependant de la petite armée
Par dix hommes ainsi vaincue et décimée,
Transis de froid, brisés de fatigue et de faim,
Aux quartiers généraux étaient rentrés enfin,
Dans un état d'esprit difficile à décrire.

A leur récit piteux Murray se mit à rire :

— Ma foi ! tant pis, dit-il, nous avons devant nous
Plus de temps qu'il ne faut pour réduire ces fous.
Je ne vois pas qu'il soit besoin qu'on se morfonde
A déloger ces gueux à l'autre bout du monde ;
Pour le moment j'ai bien d'autres chiens à fouetter !

En somme, on décida de ne point se hâter

Les semaines, les mois et les saisons passèrent ;
Les souvenirs sanglants par degrés s'effacèrent ;
Puis Washington, levant son vaillant étendard,
Acheva d'attirer les esprits autre part.
Engagés désormais dans une immense guerre,
Nos orgueilleux vainqueurs ne se souvinrent guère,
Dans les anxiétés poignantes des combats,
Que le drapeau français flottait toujours là-bas.
On oublia Cadot.

          A leur serment fidèles,
Tous les ans, quand venait le mois des hirondelles,

Les trois héros songeaient à mourir bravement
Ils vieillirent. L'un d'eux, on ne sait trop comment,
Périt dans la forêt Sur sa couche brûlante,
Un autre succomba, rongé de fièvre lente
Et Cadot resta seul, sans espoir, sans appui,
Avec l'immensité déserte autour de lui!

Vingt ans sont écoulés. Cadot n'est plus qu'une ombre.
Dans les ennuis sans fin, dans les transes sans nombre,
Mais sans que son courage ait un instant failli,
Le pauvre solitaire avant l'âge a vieilli
Il est tout blanc, sa main tremble sur la détente
De son mousquet rouillé, dont la voix éclatante
N'éveille plus l'écho des grands bois giboyeux
Seul avec un vieux chien sauvage au poil soyeux,
Fidèle compagnon de sa vie isolée,
Il montait quelquefois sur la tour ébranlée
Où flottaient les haillons troués du drapeau blanc;
Et là, pensif, courbé sur son bâton tremblant,
Comme s'il eût encor rêvé de délivrance,
Il regardait longtemps du côté de la France,
Et puis s'agenouillait, pendant que de ses yeux
_De longs pleurs de vieillard coulaient silencieux.

Il vivait de gibier, de poisson, de racines
Quelquefois les Indiens des bourgades voisines
Venaient le visiter, et, dans son abandon,
D'un peu de pémican grossier lui faisaient don.

Un jour, — c'était par un de ces hivers si rudes
Qui désolent souvent ces froides latitudes, —
Trois Sauteux, qui venaient de chasser l'orignal,
Ne virent pas — étrange et funèbre signal —
Le vieux drapeau flotter à son mât qui balance

Ils entrèrent au fort.

                    Un lugubre silence
Régnait partout Soudain, dans un obscur réduit
Où le pressentiment d'un malheur les conduit,
Les trois chasseurs se voient en face d'un cadavre.
C'était Cadot, rigide, et — spectacle qui navre —
N'ayant que son drapeau pour dernier vêtement.

Le héros était mort, drapé dans son serment!

Le fort n'est plus debout. Pourtant, sur ses ruines,
Le voyageur prétend qu'à travers les bruines
Et les brouillards d'hiver, on voit encor souvent
Le vieux drapeau français qui flotte dans le vent [32]!

VAINQUEUR ET VAINCU

Sur les murs de Québec, au milieu des vieux ormes
Qui font un dôme vert aux contreforts énormes
Du cap qui sert d'assise à la fière cité,
Colosse dominant un port mouvementé
Dont l'orbe s'ouvre au fond d'un bassin gigantesque,
Se dresse un obélisque au profil pittoresque,
Comme une flèche au front d'un immense portail.

Or, sur ce monument, rare et touchant détail,
L'enfant peut épeler, entre les branches d'arbre,
Deux noms gravés en noir sur deux lames de marbre.

C'est le nom d'un vainqueur et celui d'un vaincu ;
Un Français, un Anglais, tous deux ayant vécu
— Dans une époque, hélas ! moins douce que la nôtre ---
L'un avec un seul but, celui d'écraser l'autre ;
Deux héros ennemis dont le sort fait rêver ;
L'un tombé sous la balle en voulant conserver
A sa patrie ingrate une conquête ancienne ;
L'autre mort en donnant tout un monde à la sienne !

Passants, ne trouvez rien d'illogique en cela ;
Un noble sentiment les a réunis là,
Comme un gage constant d'union fraternelle,
D'entente cordiale et de paix éternelle
Entre deux nations qui savent, en grands cœurs,
Honorer les vaincus autant que les vainqueurs !

Wolfe et *Montcalm*, grands noms tragiques de l'histoire,
Dont l'un nous dit Défaite et l'autre dit Victoire,
Par l'aile du destin si rudement heurtés,
Où sont ceux qui jadis vous ont si haut portés ?

L'un dans un panthéon a vu dresser sa tombe;
L'autre habite un tombeau creusé par une bombe [33].
Ils moururent ensemble, et presque de leurs mains.
A ce seul point fatal se croisent leurs chemins.
Aujourd'hui comme alors un gouffre les sépare

Pourtant, sous ce granit le rêveur qui s'égare
Peut aujourd'hui confondre et mettre au même rang
Le vaincu sans reproche et l'heureux conquérant!

TROISIÈME ÉPOQUE

.

DU CALVET

Personne n'a connu ta tombe, ô Du Calvet !
Quand la mort te frappa, personne à ton chevet,
Ni sur ton front penché, ni sur ta lèvre blême,
N'a recueilli le mot du terrible problème
Qui planera toujours sur tes derniers instants !

C'est à ton héroïsme, à tes efforts constants,
C'est à ton dévoûment, le plus pur, le plus ample
Dont ces temps malheureux nous aient légué l'exemple

Que tu dois cette fin mystérieuse, et nous
Le devoir filial de bénir a genoux
Le premier champion de nos luttes civiques.

L'Histoire avait fermé ses registres épiques,
Le soleil de la France à nos yeux s'éclipsait,
Des guerres la rougeur sanglante s'effaçait,
L'orage dans la nue enrayait son tonnerre,
Mais, après les grands coups d'estoc, c'était une ère
De combats plus obscurs, qui, pour les oubliés,
Dans l'ombre préparait ses traits multipliés

Un petit peuple encore à sa première enfance !
Quelques déshérités, désarmés, sans défense !
Nul danger du dehors, rien à craindre au dedans
La persécution pouvait montrer les dents

Elle montra ses crocs et toutes ses molaires

Héritière en sous-main des anciennes colères,

Elle voulut, habile aux ruses de Satan,
Donner une revanche aux défaites d'antan,
Et, justice empruntée au code des vipères,
Se venger sur les fils du courage des pères!

Alors on vit, devant le spectre au front hideux,
Un homme se lever et crier :

— A nous deux !

C'était toi, Du Calvet, qui, méprisant la rage
Du despote, osait seul tenir tête à l'orage,
Et brandir, au-dessus de tous ces fronts étroits,
A ton bras indigné la charte de nos droits

Ta sentence de mort ce jour-là fut écrite !

En butte desormais à la haine hypocrite

De tous nos Haldimands, forbans grands ou petits
Dont son honnêteté gênait les appétits,
L'homme dut, poursuivi par leur froide malice.
De toutes les douleurs épuiser le calice.
Un tyran que l'histoire a marqué du fer chaud
Lui confisque ses biens et le met au cachot.
Et, pendant qu'il languit sous les verrous du sbire,
Troupeau fanatisé que la vengeance inspire,
Autour de sa maison, à coups de pistolets,
Les doux représentants du doux régime anglais,
Trouvant que leur victime était trop peu punie,
D'une épouse mourante ont hâté l'agonie !

Libre enfin, le héros qu'aucun malheur n'abat
Ne songe qu'à s'armer pour un nouveau combat.
Vaincu dans une lutte, il en provoque une autre,
Et porte auprès du roi sa cause avec la nôtre

On l'écoute, on s'émeut ; — le barbare Haldimand
Par ses pairs est mandé devant le parlement
L'accusateur triomphe, et, refoulant ses larmes,
Retraverse les mers pour mieux fourbir ses armes

Son fils est près de lui sur le pont du vaisseau.

Hélas! le vieux lion avec le lionceau,
Victimes d'un hasard qui confond la pensée,
Disparaissent tous deux pendant la traversée

Ce qu'ils sont devenus nul ne l'a su jamais

Nous n'avons pas le droit d'en rien conclure, mais
Ton peuple, Du Calvet, te proclame sans crainte
Le premier des martyrs de notre cause sainte,
Et si l'âpre océan connaît seul ton tombeau,
Dans nos fastes ton nom n'en luira que plus beau [34]

CHATEAUGUAY

Vous fûtes glorieux, jours de dix-huit cent douze,
Quand nos pères, grands cœurs qui battaient sous la blouse,
    Oubliant d'immortels affronts,
Sous les drapeaux anglais, en phalanges altières,
La carabine au poing se ruaient aux frontières
    En chantant avec les clairons!

Gars à la joue imberbe, hommes aux mains robustes,
Toujours prêts à venger toutes les causes justes,
    Comme à braver tous les pouvoirs!

Toujours prêts, ces vaillants, au premier cri d'alerte,
A répondre, arme au bras et la poitrine ouverte,
        A l'appel de tous les devoirs !

Regardez-les passer, ces héros d'un autre âge,
Conscrits dont le sang-froid, la gaîté, le courage
        Font honte au soldat aguerri !
D'où viennent-ils ? Des champs ! Où vont-ils ? A la gloire !
Comment s'appellent-ils ? Ils s'appellent Victoire
        Demandez à Salaberry !

Les reconnais-tu, France ? Angleterre, salue !
Ce sont nos Voltigeurs ; leur bande résolue
        N'attend ni grades ni faveurs,
Ils vont mourir sans crainte ou vaincre sans jactance
Ce sont toujours les fils, souris d'orgueil, ô France !
        Albion, compte tes sauveurs !

Le canon étranger mugissait à nos portes,
D'un ennemi jaloux les nombreuses cohortes
        Menaçaient nos murs délabrés.

En face du péril prêts à perdre la tête,
Nos conquérants d'hier, pâles dans la tempête,
        Se regardaient tout effarés.

On voulait, il est vrai, se défendre quand même,
Mais en voyant l'orage et le danger suprême
        Naître et grandir de toute part,
On sentait que, devant la force numérique,
La puissante Angleterre allait, dans l'Amérique,
        Voir crouler son dernier rempart.

Soudain un cri partit — Français, à la rescousse ! —
Alors, n'écoutant plus que l'instinct qui les pousse
        Vers les généreux compromis,
Nos jeunes gens, les fils des vaincus de naguère,
Accoururent joyeux, et partirent en guerre
        Sous les vieux drapeaux ennemis !

— Mais ces drapeaux sont teints du pur sang de vos veines,
Leur disait-on ; tremper dans ces discordes vaines,
        C'est pour jamais plier vos fronts ;

Cet ennemi qui vient va venger vos défaites ..
Au recruteur anglais ces conscrits disaient — Faites !
        Le devoir parle, nous irons !

Et puis, l'arme à l'épaule ! au vent les chansonnettes !
Un jour, pour repousser sept mille baïonnettes,
        On leur crie — Enfants, haut les cœurs ! —
Ils ne sont que trois cents, serrés comme des piques ;
Mais nos trois cents, à nous, mieux que tes Grecs épiques,
        O Léonidas, sont vainqueurs !

Oui, France ! Ces trois cents soldats d'une semaine,
Le soleil, tout un jour de lutte surhumaine,
        Les vit, de leur sang prodigué,
Sous le fer et le feu, riant des projectiles,
Un contre vingt, inscrire auprès des Thermopyles
        Le nom rival de Châteauguay !

Victoire inespérée, elle fut décisive
Quand on signa la paix, nous avions l'offensive.
        Nous revîmes des jours plus beaux ;

Et nos héros, n'ayant plus de miracle à faire,
Après avoir fixé le sort d'un hémisphère,
        Retournèrent a leurs sabots

Maintenant, sur nos murs, quand un geste ironique
Nous montre, a nous Français, l'étendard britannique
        Que le sang de Wolfe y scella,
Nous pouvons — et cela suffit pour vous confondre —
Indiquer cette date, ô railleurs! et répondre
        — Sans nous il ne serait plus là!

Honneur à vous, conscrits, qui dans ce fier poème,
Voulûtes de nouveau, sous la bannière même
        De nos orgueilleux conquérants,
Rajeunir sur nos bords la légende de gloire
Qui dit que, lorsque Dieu frappe fort dans l'histoire,
        C'est toujours par la main des Francs [35]!

PAPINEAU

Dites-moi, n'est-il pas assez étrange comme
Un peuple entier parfois s'incarne dans un homme?

Cet homme porte-voix, cet homme boulevard,
Là-bas c'est Canaris, ailleurs c'est Bolivar,
Ici c'est Washington écrivant sa légende,
Plus loin c'est O'Connell en qui revit l'Irlande

Quarante ans, transformant la tribune en créneau,
L'homme-type chez nous s'appela Papineau!

Quarante ans il tonna contre la tyrannie,
Quarante ans de son peuple il fut le bon génie,
L'inspirateur sublime et l'âpre défenseur ;
Quarante ans, sans faiblir, au joug de l'oppresseur
Il opposa ce poids immense, sa parole,
Il fut tout à la fois l'égide et la boussole ;
Fallait-il résister ou fallait-il férir,
Toujours au saint appel on le vit accourir,
Et toujours à l'affût, toujours sur le qui-vive,
Du Canada français il fut la force vive !

La persécution, lasse de le traquer,
Cède un jour à l'appât le soin de l'attaquer
Alors du vieux lion l'indomptable courage
Frémit sous la piqûre et bondit sous l'outrage.
Vous savez tous, ô vous que sa verve cingla,
Ce qu'il vous fit payer pour cette insulte-là !

O les persécuteurs arrogants ou serviles,
Fauteurs intéressés de discordes civiles,
Comme il vous foudroyait de son verbe éclatant !

Il savait être doux et pardonner pourtant
Plus tard, après l'orage et les luttes brûlantes,
Ni les longs jours d'exil, ni les haines sanglantes,
Ni les lazzi moqueurs, ni l'oubli des ingrats,
— Quand l'athlète vaincu sentit vieillir son bras, —
Ne purent ébranler cette âme fière et haute
Sans fiel devant le crime, indulgent pour la faute,
Tout entier au pays, son cœur ne put haïr
Même les renégats payés pour le trahir !

O Papineau ! bientôt disparaîtra la trace
Des luttes qu'autrefois dut subir notre race
Déjà, sur un monceau de préjugés détruits,
De tes combats d'antan nous recueillons les fruits
Mais, quel que soit le sort que l'avenir nous garde,
Ainsi qu'au temps passé, debout à l'avant-garde,
A notre tête encore, ô soldat des grands jours,
Demain comme aujourd'hui nos yeux verront toujours,
— Que l'horizon soit clair ou que le ciel soit sombre, —
Se dresser ton génie et planer ta grande ombre [36].

SAINT-DENIS

Un jour, après avoir longtemps courbé le front,
Le peuple se leva pour venger son affront

Comment, dans ce conflit de forces inégales,
Armés de vieux mousquets chargés avec des balles
Qu'ils fondaient de leurs mains sous le feu des Anglais,
On les vit tout un jour riposter aux boulets,
Et puis, finalement, remporter la victoire,
Cela renverse   eh bien, c'est pourtant de l'histoire.

Mon ami Lusignan me l'a conté cent fois.

Et, quand il relatait ces choses-là, sa voix
Tremblait toujours un peu, car c'était de son père,
Un des seuls et derniers survivants de l'affaire,
Qu'il tenait les détails du drame ensanglanté,
Où son grand-père était mort pour la liberté.

Ils n'étaient pas en tout quatre cents.

　　　　　　　　　　Dès la veille,
Ils s'étaient confessés; et l'esprit s'émerveille
A songer que ces gens, sans pain, mal équipés,
Fiers revendicateurs de leurs droits usurpés,
Dans leur révolte sainte et leur courage austère,
Osaient braver ainsi la puissante Angleterre.

Nelson les commandait, — un homme de combats..
Oh! les sombres retours des choses d'ici-bas!
Si cet homme eût fini, là, dans toute sa gloire,
Pour l'avenir quel poids de moins sur sa mémoire!
Quand on tombe de haut, la chute fait frémir.

Mais du passé laissons les tristesses dormir ;
Il vaut mieux ne songer qu'aux choses consolantes

Sous le feu du canon, sous les balles sifflantes,
Dans les folles clameurs et les trombes de fer,
Le village assiégé grondait comme un enfer.
Par moments, on pouvait, à travers la fumée,
Voir tout un régiment, et presque un corps d'armée,
Dans un cercle de feu, s'avancer pas à pas,
Cherchant des ennemis qu'on n'apercevait pas.

Les lourds affûts, traînés à grand bruit de ferrailles,
Disloquaient, çà et là, charpentes et murailles,
Aux vitres, sur les toits, partout le plomb strident
Crépitait, ricochait, grêlait, et cependant
C'étaient eux, les soldats — chose incompréhensible —
Qui pour un tir fatal semblaient servir de cible,
Et, criblés, ne sachant à quels saints se vouer,
Voyaient leurs masses fondre et leurs rangs se trouer

Ils avaient cru n'avoir qu'à cerner un village
Avant d'y promener la torche et le pillage ;

Et voilà que battus, décimés, écharpés,
Ce sont eux qui se voient partout enveloppés!

Et comment repousser ces attaques étranges?
Au coin des murs, au seuil des maisons et des granges,
Derrière une clôture, aux pentes d'un guérêt,
Où son costume gris s'efface et disparaît,
Partout, la crosse en joue, un insurgé se dresse
Et les fusille avec une incroyable adresse.
Où pointer les canons? où fondre? où se porter?
Dans ce dédale affreux comment s'orienter?...
Là, qui s'arrête tombe; ici, feu sur qui bouge!
Mort à tout ce qui porte un uniforme rouge!...

Cela faisait un sombre et farouche tableau.

Le commandant, un vieux soldat de Waterloo,
Pâle, et voyant déjà, sans être un grand prophète,
Venir l'humiliante et fatale défaite,
Devant cet ennemi qui glisse dans ses mains,
Aux premiers rangs s'épuise en efforts surhumains.

Il comprend que pour lui l'échec serait la honte,
Et, courant au-devant de la mort qu'il affronte,
Il cherche en vain, par des appels exaspérés,
A rallier un peu ses soldats effarés ..
Impossible !

Et bientôt, tout le long de la route,
On vit s'enfuir au loin les Anglais en déroute.
Armes, munitions, vivres, fourgons chargés
Tombaient du même coup aux mains des insurgés.
Les opprimés avaient remporté la victoire
Et l'un des plus brillants feuillets de notre histoire
Porte aujourd'hui le nom vainqueur de Saint-Denis!

Hélas ! beaux horizons bien vite rembrunis !
Deux jours après — c'était l'envers de la médaille —
Saint-Charles perdait tout en perdant la bataille.
Tout? non pas, car déjà le coup avait porté :
Saint-Denis nous avait conquis la liberté [17] !

CHÉNIER

Elle fut magnanime, héroïque et sans tache,
Votre légende, ô fiers enfants de Saint-Eustache !

Quand le reste pliait ; quand, à Saint-Charle en feu,
Sacrifiant leur vie en un suprême enjeu,
Les hardis défenseurs de notre sainte cause,
Martyrs du grand devoir que la patrie impose,
Étaient morts aux lueurs de leurs foyers détruits ;
Quand les plus dévoués au loin s'étaient enfuis,
Traqués en malfaiteurs jusques à la frontière,
Et que les conquérants, avec leur morgue altière,

De leurs cris de triomphe insultaient les vaincus,
Vous, au sublime appel d'un nouveau Spartacus,
Voulûtes, réunis en phalange sacrée,
Défiant jusqu'au bout la puissance exécrée
Des tyrans désormais transformés en bourreaux,
Vaincre en désespérés ou mourir en héros!

Colborne et ses soldats, sinistre et lourd cortège,
S'avançaient en traînant leurs fourgons sur la neige.
L'invective à la bouche et la torche à la main,
Répandant la terreur partout sur leur chemin,
Ces preux, qu'on aurait dit recrutés dans les bouges,
S'approchaient, et de loin les uniformes rouges
Semblaient, mouvants replis, au front des coteaux blancs,
Comme un serpent énorme aux longs anneaux sanglants.

Ces reîtres sont joyeux; déjà leur cœur savoure
Le plaisir qu'a le nombre à vaincre la bravoure.

En revanche, le ciel est triste et nuageux.
Ce matin-là, le jour, à l'horizon neigeux,

Tardif, n'avait jeté qu'une lueur blafarde
Chénier toute la nuit avait monté la garde,
Et puis, n'attendant plus que le fatal moment,
Longtemps, les yeux fixés au pâle firmament,
Tout rêveur, il se tint debout à sa fenêtre.
— Pleurez-vous? fit quelqu'un Il répondit : — Peut-être!
J'aurais, ajouta-t-il sans trouble dans la voix,
Voulu voir le soleil pour la dernière fois [38].

A midi le canon tonna

                    Silence morne,
Pas un bruit n'accueillit ce salut de Colborne
Pour combattre avec chance, équipés à demi,
Il valait mieux laisser s'approcher l'ennemi.

Les insurgés s'étaient retranchés dans l'église;
Cent hommes tout au plus, cent cœurs que paralyse
Le manque de fusils et de munitions.
Mais n'importe, chez eux nulles défections!
Armés ou désarmés, du premier au centième,
Tous sont prêts à combattre et résister quand même

— C'est bien, leur dit Chénier un éclair aux sourcils,
Les mourants cèderont aux autres leurs fusils :
Nous en aurons bientôt assez pour tout le monde [39] ! –

Cependant au dehors la canonnade gronde ;
Le bourg est envahi, tous les chemins bloqués ;
Les affûts destructeurs sur l'église braqués,
Faisant sauter les ais, déchirant les murailles,
Lancent la foudre avec des paquets de mitrailles ;
Derrière un bataillon, un bataillon surgit,
Mêlant sa fusillade au canon qui mugit ;
L'église n'est bientôt qu'une vaste masure.

Mais, du haut des clochers et de chaque embrasure,
Les hardis assiégés ripostent fièrement.
Repoussant chaque assaut par un redoublement
D'efforts et de sang-froid, d'adresse et de courage,
Chénier se multiplie et tient tête à l'orage.
Sanglant, échevelé, noir de poudre, on le voit
Grandir en même temps que le danger s'accroît ;
Un officier anglais le somme de se rendre :
Le héros souriant lui répond : — Viens me prendre ! —

Et l'étend raide mort d'un coup de pistolet

Mais, presque au même instant, un énorme boulet
Fait voler en éclats la grand'porte de chêne.
Alors des assiégeants la horde se déchaîne
On envahit l'église armé jusques aux dents,
Et l'assaut du dehors recommence au dedans

— Hourra ! criait Chénier ; hardi ! sus aux despotes !
Montrons-leur ce que c'est que des francs patriotes ! ..

Et des jubés croulants, du haut des escaliers,
A l'abri de l'autel, derrière les piliers,
De partout corps à corps s'engagea la mêlée

La lutte fut sauvage, implacable, affolée
Nul temps de recharger les armes, à ce point
Qu'on se prend aux cheveux, qu'on se frappe du poing

Ils sont deux mille au moins contre cent, mais n'importe
On se tue au balustre, on s'écrase à la porte ;
La masse ondule ; on va poussant et repoussant,
Fou de rage, assoiffé de carnage et de sang...
Enfin l'Anglais recule, et Colborne en furie
Est forcé de plier devant Chénier qui crie :
— Victoire, mes enfants ! victoire, grâce à Dieu !

Un cri désespéré lui répondit :

— Au feu !

Ces forts, voyant contre eux tourner la tragédie,
Avaient à leur secours appelé l'incendie.
Ils avaient fait leur œuvre, et l'église brûlait :
L'espoir, l'espoir dernier des héros s'envolait.
Il ne leur restait plus qu'à succomber en braves.

Du portail à l'abside et des clochers aux caves,

La flamme faisait rage Alors l'œil ébloui
Vit là se dérouler un spectacle moui

Pendant que du brasier les spirales rampantes
Sapaient les murs noircis et rougeaient les charpentes,
Et que, dans les horreurs d'un vaste embrasement,
L'édifice flambait, — de moment en moment,
Du haut de la bâtisse à demi consumée,
Aux lueurs des éclairs, au sein de la fumée,
Dans les crépitements et les coups de fusils,
Aux clameurs des Anglais d'épouvante saisis,
Ensanglanté, farouche, au bord d'une fenêtre,
On voyait tout à coup comme un spectre apparaître,
Et lancer aux vainqueurs, dont sa haine fait fi,
Un dernier coup de feu dans un dernier défi!

Il en périt beaucoup dans les flammes. Le reste
Des vaincus dut subir un sort non moins funeste.
Sitôt que, poursuivi par le feu qui le mord,
Quelque insurgé tentait de s'échapper . — A mort!
Il tombait fusillé par une balle anglaise.

Chénier, dernier de tous, sortit de la fournaise.

La scène ne dura que deux minutes, mais
Ceux qui purent la voir ne l'oublieront jamais.
Le héros, en sautant du haut d'une croisée,
S'affaissa sur le sol une jambe brisée.
Ce n'est rien! sous le plomb qui grêle à bout portant,
Chénier sur un genou se relève un instant;
Il se dresse, aveuglé de sang, l'habit sordide,
Défiguré, hagard, effroyable, splendide;
Et, pour suprême insulte à la fatalité,
Le fier mourant cria :

                    — Vive la liberté!

Puis dans le tourbillon, la poudre, le vacarme,
Par un dernier effort il déchargea son arme.
Un nouvel ennemi tomba, mais ce fut tout :
Colborne et ses soudards étaient vainqueurs partout!

Ce qui suivit eût fait rougir des cannibales.

On traîna de Chénier le corps criblé de balles,
Un hideux charcutier l'ouvrit tout palpitant,
Et par les carrefours, ivres, repus, chantant,
Ces fiers triomphateurs, guerriers des temps épiques,
Promenèrent sanglant son cœur au bout des piques

Puis la torche partout! les braves en avant!
On brûla les maisons, on brûla le couvent,
Si quelque humble demeure échappait mi-détruite,
C'est que l'on pourchassait quelques femmes en fuite
De quartier nulle part, nulle compassion,
Partout pillage, vol et dévastation!
Les vieux citent encor des traits épouvantables
On sabrait dans les lits, on sabrait sous les tables,
Tuer des prisonniers, éventrer des mourants,
C'étaient nobles exploits Un enfant de quatre ans
Est là tout étonné qui regarde et qui flâne,
Un des braves l'ajuste et lui brise le crâne...
Ce brave eut un procès, mais il fut acquitté,
N'ayant au fond puni qu'un petit révolté [40]

Enfin, le lendemain, ces nobles Alexandres
Laissaient par derrière eux trois villages en cendres!

*

C'est à ces durs prix-là — sombre nécessité! —
Que tout peuple naissant t'achète, ô Liberté!

L'ÉCHAFAUD

Ils étaient innocents, oui ; mais il fallait bien
Qu'on n'eût pas érigé ce tribunal pour rien.

D'ailleurs, c'est entendu, quand l'homme s'émancipe,
On doit toujours sévir pour sauver le principe.
Redresser les griefs, reconnaître son tort,
C'est très bien ; mais il faut des exemples d'abord !

Parmi les prisonniers d'élite on en prit douze ;
Certes, le choix fut fait par une main jalouse ;

Et, tandis que le reste — à quoi bon tant trier? -
Allait languir là-bas sous un ciel meurtrier,
Les juges — oh! de vrais modèles de droiture —
Dirent à l'échafaud :

— Toi, voici ta pâture!

Et ces juges, choyés, approuvés, applaudis,
Qui peut-être eussent eu pour de réels bandits
Dans leurs cœurs de torys plus de miséricorde,
Osèrent d'une main ferme passer la corde
Au cou de citoyens dont le crime devait,
Comme dans le passé celui de Du Calvet,
Confondant des bourreaux l'éternel égoïsme,
Dans la bouche de tous s'appeler héroïsme!

Oh! cet échafaud-là, malgré son nom brutal,
Ne fut pas un gibet, ce fut un piédestal!
L'injustice des lois en fut seule flétrie.
Et, tandis que, plus tard, on verra la Patrie,

— Oh! l'avenir toujours donne à chacun son rang, —
Venir aux yeux de tous s'incliner en pleurant
Devant ces champions d'une cause sacrée,
Cherchez qui défendra la mémoire exécrée
De ces juges hautains dont l'orgueil crut pouvoir
Flétrir en meurtriers ces martyrs du devoir [1] !

HINDELANG

Il avait vingt-trois ans, une taille athlétique,
Un grand front qu'éclairait une âme poétique.
Son esprit et son cœur, rarement en défaut,
Plaisaient à tous.

     Lorsqu'il monta sur l'échafaud,
Ses frères d'infortune et ses compagnons d'armes
Tombèrent à genoux et fondirent en larmes
Lui leur fit ses adieux, souriant à demi ;
Puis il dit au bourreau .

     — Je suis prêt, mon ami !

C'était un noble enfant de la mère patrie;
Un enfant doux et bon. Un jour, l'âme meurtrie
Par un de ces chagrins qui brisent les plus forts,
Vaincu, désespéré, lutteur à bout d'efforts,
Ne pouvant arracher l'épine ensanglantée
Qu'en son cœur une main cruelle avait plantée,
Il avait essayé, pour tromper son ennui,
De mettre la distance entre sa peine et lui.

Et le nouveau René partit pour l'Amérique.

C'était juste au moment de la lutte homérique
Que nos pères, courbés sous un joug écrasant,
Transformant en épieu la faux du paysan,
Avaient, sous les regards de l'Europe surprise,
Pour défendre leurs droits vaillamment entreprise.

Le jeune homme entendit ce cri de liberté
Jusqu'au port de New-York par la brise porté.

Quoi! des Français, luttant contre la tyrannie
Avec le désespoir d'un peuple a l'agonie,
A tous demanderaient vainement du secours!
Point de retard, pour lui les moments sont trop courts,
Il arrive, et, recrue à la hâte enrôlée,
L'arme au poing il se jette au fort de la mêlée!

C'était près d'Odeltown, où partout débordés
Les insurgés tentaient un dernier coup de dés
Il fut l'un des géants de la lutte infernale,
Mais, blessé, quand survint la déroute finale,
Dans la fuite oublia de chercher son salut
Hélas! son dévoûment touchant ne lui valut
Qu'une tombe parmi nos martyrs patriotes.

Victimes des sabreurs ou des Iscariotes,
Les armes à la main et de sang encor chauds,
Les vaincus furent pris et jetés aux cachots;
Et bientôt, sur son front livré sans résistance,
L'enfant sentit peser la suprême sentence ..

Quand on le vit paraître, et gravir, calme et beau,
Sans un frémissement, le fatal escabeau :
— Grâce! fit une voix qui partit de la foule.

— Grâce? non pas! dit-il; il faut que mon sang coule.
Frères, dans l'avenir ce jour sera compté :
C'est dans le sang toujours que naît la Liberté! —

Et puis, pour défier la populace anglaise,
Le martyr entonna gaîment la *Marseillaise*.
Le chant, au mot *Patrie*, à sa lèvre expira.
Tu mourus, Hindelang, mais l'histoire dira
Que l'avenir n'a pas trompé ton espérance.
Et, s'il fallait du sang le plus noble de France
Pour arroser le sol où nos droits ont grandi,
Lorsque ton fier cadavre à peine refroidi
Fut étendu devant la foule agenouillée,
— Dors en paix, Hindelang! — la dette était payée!

Moi, mes enfants, j'étais un patriote, un vrai!
Je n'en disconviens pas; et tant que je vivrai,
L'on ne me verra point m'en vanter à confesse ..
Je sais bien qu'aujourd'hui maint des nôtres professe
De trouver insensé ce que nous fîmes là.
Point d'armes, point de chefs, c'est ceci, c'est cela,
On prétend que c'était faire d'un mal un pire
Que de se révolter.

             Tout ça, c'est bon à dire,
Lorsque la chose est faite et qu'on sait ce qu'on sait!

Ces sages-là, je puis vous dire ce que c'est ;
Ça me connaît, allez ; c'est un vieux qui vous parle.
Nous en avions ailleurs, mais surtout à Saint-Charle.
Ah ! la sagesse même ! et pleins de bons conseils.
Si tous les Canadiens eussent été pareils,
On en aurait moins vu debout qu'à quatre pattes.
Nous les nommions torys, chouayens, bureaucrates ;
Et d'autres noms encor — peu propres, je l'admets.

Ces gens-là, voyez-vous, cela ne meurt jamais ;
Et si, ce dont je doute, ils ont une âme à rendre,
Le bon Dieu n'a pas l'air bien pressé de la prendre.
D'ailleurs il en revient ; on en voit tous les jours.
Aussitôt les loups pris, ils connaissent les tours ;
Moisson faite, ils sont là pour gruger la récolte.

J'en ai connu qui nous poussaient à la révolte,
Et qui, le lendemain de nos premiers malheurs,
Nous traitaient de brigands, d'assassins, de voleurs,
Ou qui criaient : — Je vous l'avais bien dit !

                              Ah! dame,
On aurait pu bourrer la nef de Notre-Dame,
Après l'affaire, avec ces beaux prophètes-là !
Il en poussait partout, en veux-tu en voilà !
Qu'on me montre un pouvoir qui frappe ou qui musèle,
Je vous en fournirai de ces faiseurs de zèle !

Et puis n'avions-nous pas les souples, les rampants,
Les délateurs payés, les guetteurs, les serpents ?
Ces Judas d'autrefois, je les retrouve encore
Tout ce qui les anime et ce qui les dévore,
C'est le bas intérêt, l'instinct matériel.
Ils étaient tous autour du gibet de Riel,
Les noms seuls sont changés

                         Quand le sanglant Colborne
Incendiait nos bourgs, leur joie était sans borne.
Ils disaient, en voyant se dresser l'échafaud,
Alors comme aujourd'hui — C'est très bien, il le faut !
On doit défendre l'ordre et venger la morale ! —

Et puis, dame, il faut voir la mine doctorale
Qu'ils prennent pour vous dire un tas d'absurdités
De cette force-là. Pour eux, les lâchetés
Ne comptent pas; allez, je les ai vus à l'œuvre;
Il en est qui rendraient des points à la couleuvre
Pour faire en serpentant leur tortueux chemin.

Et puis, messieurs vous font passer à l'examen!
Quand on ne peut comme eux se faire à tous les rôles,
On n'est que des cerveaux brûlés, ou bien des drôles. .
Charmant d'avoir affaire à de pareils grands cœurs!

Mais laissons de côté rancunes et rancœurs.
Je voulais, mes enfants, tout bonnement vous dire
Que j'étais patriote alors, et pas pour rire!
J'en ai vu la Bermude, — un pays, en passant,
Sans pareil pour qui veut faire du mauvais sang;
Un pays bien choisi pour abrutir un homme; —
Eh bien, mes compagnons pourront vous dire comme
J'ai toujours été fier, en mes meilleurs instants,
D'avoir été, comme eux, l'un des fous de mon temps!

Je me moque du reste

                              Et puis voyons, que diantre !
Si nous étions restés, comme on dit, à plat ventre,
Ainsi que j'en connais, courbés sous le mépris
De ceux qui nous voulaient aplatir à tout prix,
Si nous eussions subi la politique adroite
Dont on cherche à leurrer les peuples qu'on exploite,
Que dis-je ? non contents du titre de sujets,
Si nous avions servi les perfides projets
De ceux qui nous voulaient donner celui d'esclaves,
Dites-moi donc un peu, que serions-nous, mes braves ?

Quand furent épuisés tous les autres moyens,
Nous avons dit un jour : — Aux armes, citoyens ! .

Nous n'avions pas, c'est vrai, de très grandes ressources,
Nous avions même un peu le diable dans nos bourses,
Il fallait être enfin joliment aux abois,
Avec de vieux fusils et des canons de bois [12],

Pour déclarer ainsi la guerre à l'Angleterre ;
Mais des hommes de cœur ne pouvaient plus se taire.
Plutôt que sous le joug plier sans coup férir,
Nous avons tous jugé qu'il valait mieux mourir.

Le premier résultat fut terrible sans doute ;
Bien du sang généreux fut versé sur la route ;
Sur les foyers détruits, bien des yeux ont pleuré ;
Mais, malgré nos revers, peuple régénéré,
Nous avons su montrer — que l'heure en soit bénie ! —
Ce que peut un vaincu contre la tyrannie.

Au reste, l'on a vû le parlement anglais
— Qui ne vient pas souvent pleurer dans nos gilets,
Et qu'on accuse peu de choyer ses victimes —
Déclarer par le fait nos griefs légitimes.
Les droits qu'on réclamait, il les reconnut tous !

Et l'on nous traite encor de drôles et de fous !...

Mais l'insensé qui blâme avec tant d'assurance,
Si l'on ne lui fait plus crime d'aimer la France,
S'il n'a plus sous le joug à passer en tremblant,
S'il possède le sol, s'il mange du pain blanc,
S'il peut seul, à son gré, taxer son patrimoine,
S'il vend à qui lui plaît son orge ou son avoine,
Si des torts d'autrefois il a bien vu la fin,
S'il peut parler sa langue, et s'il est libre enfin,
Il aura beau hausser encor plus les épaules,
Il le devra toujours à ces fous, à ces drôles !

Oui, mes enfants, j'étais un patriote, un vrai,
Et jusques à la mort, je m'en applaudirai !

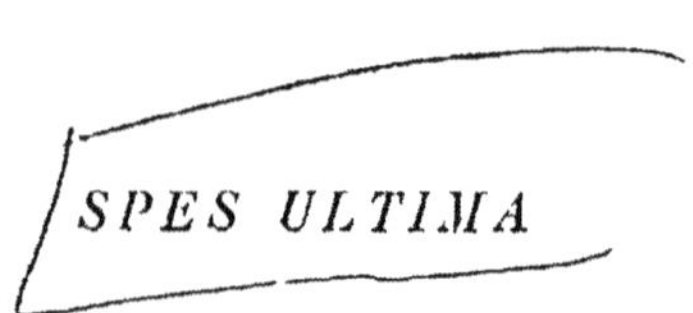

Tandis qu'un roi sans cœur les marchandait là-bas,
Nos ancêtres avaient, sous le feu des combats,
Conservant jusqu'au bout l espérance dernière,
En chevaliers sans peur tenu haut leur bannière

Peuple vingt fois trahi, vendu, sacrifié,
Pour défendre le sol qui leur fut confié,
Et plutôt que de voir leur patrie asservie,
Ils avaient tout donné, leur fortune et leur vie,
Ne réservant pour eux qu'une chose : l'honneur

Pendant qu'aux Trianons un prince ricaneur
Accueillait, contempteur d'une épopée antique,
Le récit de leurs maux d'un sarcasme sceptique,
Aux excès effrontés des lupanars royaux,
Nos pères, opposant leurs dévoûments loyaux,
Aux yeux de l'univers avaient, dans vingt batailles,
Racheté de leur sang les hontes de Versailles!

Ils en furent payés par l'exil et l'oubli.

Dans les émotions d'un grand pas accompli
Sur les âpres chemins d'une autre destinée,
Tout entière à la gloire, et sans cesse entraînée
Sur les pas du guerrier fatal qui, sans repos,
Aux quatre coins du monde arborait ses drapeaux,
La grande nation oublia la poignée
De braves, par la faim et le glaive épargnée,
Qui, fidèle quand même, aux bords du Saint-Laurent,
Sous un sceptre étranger la nommait en pleurant.

Le temps passe.

Au delà de cent ans s'écoulèrent,
Sous de nouveaux guidons les peuples s'enrôlèrent,
Mais — bien que sous un joug inflexible penché —
Nul peuple sous le ciel n'a vaillamment marché
Comme ce groupe fier d'abandonnés, la fibre
Du cœur resta chez eux indépendante et libre.

Sous un autre drapeau, sous un autre pouvoir,
Ils durent, il est vrai, se plier au devoir ;
Mais, devenus loyaux sujets de l'Angleterre,
En eux la voix du sang ne sut jamais se taire
Ils respectent les plis qui flottent sur leurs tours,
Mais toujours et partout — chers et touchants retours ! —
Le plus humble d'entre eux, au seul nom de la France,
Sent encor poindre en lui quelque vague espérance !

A ce sujet voici ce que nous racontait
Notre vieux professeur de droit romain C'était
Un modeste savant, Parisien de race,
Qui commentait le code et récitait Horace
Par cœur Un pur hasard l'avait jeté chez nous.

Il avait conservé son accent et ses goûts.

Il grasseyait ; et puis, tous les matins, à l'heure

Où s'ouvrent les marchés, il quittait sa demeure,

Et, d'échoppe en échoppe et d'étal en étal,

Ainsi qu'un bon bourgeois de son pays natal,

Il s'en allait lui-même acheter ses denrées.

Il aimait la rumeur des foules affairées ;

Bonhomme s'il en fût, marchandant et causant,

Il s'arrêtait parfois auprès du paysan,

Et s'informait du prix des blés, de son ménage ;

Il lui parlait moissons, bestiaux, jardinage ;

Chacun le connaissait et chacun écoutait

Ce parleur dont l'accent surtout les déroutait.

Un jour, une vendeuse, accorte et bonne vieille,

Laquelle à ses discours prêtait souvent l'oreille,

L'interpella disant :

            — Monsieur, vous jasez bien

Sans doute, et cependant pas en vrai Canadien;
Pas en Anglais non plus, faut pas dire ça, dame!

— Moi, fait le père Aubry, je suis Français, madame.

— Français? eh ben, pardi, c'est dans nos environs;
Pour être Canadiens on n'est pas des Hurons.
On est tous des Français, nous aussi, que je pense!

— C'est vrai; mais moi je suis un Français... de la France.

— De la France? eh ben, nous, de quel pays est-on?
Sommes-nous par hasard des Français de Boston?
Il n'est pas de Français sans France, que je sache!

Le bon vieux professeur riait dans sa moustache.

— Pardonnez-moi, dit-il, vous ne comprenez pas.
Vous êtes née ici; moi je suis né là-bas...

Né là-bas! c'était là presque du fantastique.
La marchande, à ces mots, laisse là sa boutique,
Et, tandis que son œil commence à se troubler,
S'avance, et d'une voix que l'émoi fait trembler :

— Vous êtes né là-bas, vous! dit la femme en transe;
Vous êtes né là-bas!... dans notre vieille France?
Vous en venez?

            — Mais oui, dit notre humble savant,
Pour vous servir. Bonjour, madame!

                        Mais avant
Qu'il eût tourné le dos pour reprendre sa route,
La vieille, qui craint fort que quelqu'un ne l'écoute,
Le saisit par la main, et, furtive, guettant

Si quelque Anglais surtout n'est pas là qui l'entend,
Tandis que son regard aux alentours surveille,
S'approche du bonhomme et lui glisse à l'oreille
Ces mots dits d'un accent qu'on ne peut définir .

— Dites-moi donc, à moi, là . vont-*ils* revenir?

Et, comme il achevait de conter cette histoire,
Dans son émotion brusquant son auditoire,
Le bon vieux professeur, faisant un demi-tour,
S'en allait grommelant

— Gueuse de Pompadour [43]!

LA *CAPRICIEUSE*

Je ne suis pas très vieux; pourtant j'ai souvenance
Du jour où notre fleuve, après un siècle entier,
Pour la première fois vit un vaisseau de France
Mirer dans ses flots clairs son étendard altier.

Ce jour-là, de nos bords — bonheur trop éphémère —
Montait un cri de joie immense et triomphant :
C'était l'enfant perdu qui retrouvait sa mère;
C'était la mère en pleurs embrassant son enfant!

La France nous avait laissés grandir loin d'elle,
Nous léguant son nom seul avec son souvenir;
Et le pauvre orphelin, à tous les deux fidèle,
N'avait su, dans son cœur, qu'absoudre et que bénir.

Il avait tout gardé, ses antiques franchises,
Et son culte et sa langue, et — peuple adolescent —
Montrait avec orgueil ses libertés conquises,
A côté de ses droits scellés avec son sang.

Ce beau jour fut pour nous presque la délivrance;
L'embrassement fut long; on pleurait à genoux;
Car, si nous étions fiers de notre belle France,
Notre France, elle aussi, pouvait l'être de nous!

Saintes émotions! — quand villes et banlieues
Illuminaient leurs tours, pavoisaient leurs maisons,
Au loin, sur un rayon de plus de trente lieues,
On voyait accourir, de tous les horizons,

Des vieillards, des enfants et des femmes timides,
Qui, sac au dos, à pied sur les chemins rugueux,
Venaient, en essuyant leurs paupières humides,
Revoir flotter au vent le drapeau des aïeux.

Nos poètes chantaient la France revenue ;
Et le père, à l'enfant qu'étonnait tout cela,
Disait · — Ce pavillon qui brille dans la nue,
— Incline-toi, mon fils ! — c'est à nous celui-là !

Et, lorsque la frégate avec la forteresse
Échangeaient des saluts de leurs tonnantes voix,
Tous ces cœurs délirants tressaillaient d'allégresse
En croyant retrouver les échos d'autrefois

Oh ! c'est que ce vaisseau, c'était la France même
— Aigle immense un instant repliant son essor —
Qui revenait à nous, disant : — J'aime qui m'aime ;
Vous êtes mes enfants, et je vous aime encor !

Elle nous l'a prouvé ; ni la *Capricieuse*
Ni ces nobles marins n'ont revu nos clochers ;
Mais la France, depuis, fut pour nous soucieuse,
Et son cœur et sa main nous ont toujours cherchés.

Et nous, quand elle allait, au fronton de l'histoire,
Inscrire avec son sang quelque éclatant succès,
Nous sonnions triomphants nos clairons de victoire,
Car c'étaient nos soldats que les soldats français.

Et puis, quand le malheur vint fondre sur ses armes,
Quand le noble vaisseau sombra sur un écueil,
La France plus que nous n'a pas versé de larmes ;
La France mieux que nous n'a point porté le deuil !

Salut donc à vous tous, ô Français, ô nos frères !
Nous vous serrons la main avec un doux émoi.
Nos rives ne sont plus à la France étrangères ;
Et qui vient de chez elle est parmi nous chez soi [44] !

VIVE LA FRANCE!

C'était après les jours sombres de Gravelotte
La France agonisait

      Bazaine Iscariote,
Foulant aux pieds honneur et patrie et serments,
Venait de livrer Metz aux reîtres allemands.
Comme un troupeau de loups sorti des steppes russes,
Une armée, ou plutôt des hordes de Borusses,
Féroces, l'œil en feu, sabre aux dents, vingt contre un,
Après une razzia de Strasbourg à Verdun,
Incendiant les bourgs, détruisant les villages,

Ivres de vin, de sang, de haine et de pillages,
Et ne laissant partout que carnage et débris,
Nouveau fléau de Dieu, s'avançaient sur Paris.

Vols, attentats sans nom, horribles hécatombes,
Rien ne rassasiait ces noirs semeurs de tombes.
La province, à demi morte et saignée à blanc,
Se tordait et râlait sous leur talon sanglant.

Seule, et voulant donner un exemple à l'histoire,
Paris, ce boulevard de dix siècles de gloire,
Orgueil et désespoir des rois et des césars,
Foyer de la science et temple des beaux-arts,
Folle comme Babel, sainte comme Solime,
En un jour transformée en guerrière sublime,
Le front haut, l'arme au bras, narguant la trahison,
Par-dessus ses vieux forts regardait l'horizon!

Au loin le monde ému frissonnait dans l'attente;

Qu'allait-il arriver ?

L'Europe haletante
Jetait, soir et matin, sur nos bords atterrés,
Ses bulletins de plus en plus désespérés . .
On bombardait Paris !

Or, tandis que la France,
Jouant sur un seul dé sa dernière espérance,
Se roidissait ainsi contre le sort méchant,
Un poème naïf, douloureux et touchant
S'écrivait en son nom sur un autre hémisphère.
Tandis que d'un œil sec d'autres regardaient faire, —
D'autres pour qui la France, ange compatissant,
Avait donné cent fois le meilleur de son sang, —
Par delà l'Atlantique, aux champs du nouveau monde
Que le bleu Saint-Laurent arrose de son onde,
Des fils de l'Armorique et du vieux sol normand,
Des Français, qu'un roi vil avait vendus gaîment,
Une humble nation qu'encore à peine née,
Sa mère avait un jour, hélas! abandonnée,
Vers celle que chacun remiat à son tour
Tendit les bras avec un indicible amour!

La voix du sang parla ; la sainte idolâtrie,
Que dans tout noble cœur Dieu mit pour la patrie,
Se réveilla chez tous ; dans chacun des logis,
Un flot de pleurs brûlants coula des yeux rougis ;
Et, parmi les sanglots d'une douleur immense,
Un million de voix cria :

— Vive la France !

Sous les murs de Québec, la ville aux vieilles tours,
Dans le creux du vallon que baignent les détours
Du sinueux Saint-Charle aux rives historiques,
A l'ombre du clocher se groupent vingt fabriques.
C'est le faubourg Saint-Roch, où vit en travaillant
Une race d'élite au cœur fort et vaillant.

Là surtout, ébranlant ces poitrines robustes
Où trouvent tant d'échos toutes les causes justes,
Retentit douloureux ce cri de désespoir :

— La France va mourir !

                         Ce fut navrant

                                             Un soir,
Un de ces soirs brumeux et sombres de l'automne
Où la bise aux créneaux chante plus monotone,
De ses donjons, à l'heure où les sons familiers
De la cloche partout ferment les ateliers,
La haute citadelle, avec sa garde anglaise,
Entendit tout à coup tonner la *Marseillaise*,
Mêlée au bruit strident du fifre et du tambour ..

Les voix montaient au loin, c'était le vieux faubourg
Qui, grondant comme un flot que l'ouragan refoule,
Gagnait la haute ville, et se ruait en foule
Autour du consulat, où de la France en pleurs,
Drapeau toujours sacré, flottaient les trois couleurs.

Celui qui conduisait la marche, un gars au torse

D'Hercule antique, avait, sous sa rustique écorce,
— Comme un lion captif grandi sous les barreaux, —
Je ne sais quel aspect farouche de héros.
C'était un forgeron à la rude encolure,
Un fort; et rien qu'à voir sa calme et fière allure,
Et son mâle regard et son grand front serein,
On sentait battre là du cœur sous cet airain.

Il s'avança tout seul vers le fonctionnaire;
Et, d'une voix tranquille où grondait le tonnerre,
Dit :

— Monsieur le consul, on nous apprend là-bas
Que la France trahie a besoin de soldats.
On ne sait pas chez nous ce que c'est que la guerre;
Mais nous sommes d'un sang qu'on n'intimide guère,
Et je me suis laissé dire que nos anciens
Ont su ce que c'était que les canons prussiens.
Au reste, pas besoin d'être instruit, que je sache,
Pour se faire tuer ou brandir une hache;
Et c'est la hache en main que nous partirons tous;
Car la France, monsieur... la France, voyez-vous...

Il se tut ; un sanglot l'étreignait à la gorge.
Puis, de son poing bruni par le feu de la forge
Se frappant la poitrine, où, son col entr'ouvert,
D'un scapulaire neuf montrait le cordon vert :

— Oui, monsieur le consul, reprit-il, nous ne sommes
Que cinq cents aujourd'hui ; mais, tonnerre ! des hommes,
Nous en aurons, allez !... Prenez toujours cinq cents,
Et dix mille demain vous répondront : — Présents !
La France, nous voulons épouser sa querelle ;
Et, fier d'aller combattre et de mourir pour elle,
J'en jure par le Dieu que j'adore à genoux,
On ne trouvera pas de traitres parmi nous !...

Le reste se perdit, car la foule en démence
Trois fois aux quatre vents cria :

— Vive la France!

Hélas! pauvres grands cœurs! leur instinct filial
Ignorait que le code international,
Qui pour l'âpre négoce a prévu tant de choses,
Pour les saints dévoûments ne contient pas de clauses.

Et le consul, qui m'a conté cela souvent,
En leur disant merci, pleurait comme un enfant[43].

LE GIBET DE RIEL

Donc tout est consommé. Dans notre fière époque,
Quand de tous les côtés s'ébranle et se disloque
L'enchevêtrement noir des préjugés boiteux ;
Quand des anciennes lois les vieux codes honteux,
Devant l'éclat vainqueur des lumières modernes,
Éteignent un à un leurs fumeuses lanternes ;
Quand on voit tous les jours se dissoudre sans bruit
Quelque étai vermoulu d'un régime détruit ;
Quand de l'humanité la caravane en marche
Voit poindre à l'horizon la colombe de l'arche,
Apportant dans son bec le rameau fraternel ;
Quand, secouant partout le joug originel

De l'antique union des erreurs et des haines,
Les peuples, l'œil tourné vers les aubes prochaines,
Semblent se dire enfin, dans un commun accord,
Qu'il est un droit plus saint que celui du plus fort;
Oui, dans ce siècle où tout s'élève et s'émancipe,
Chez nous, au plus flagrant mépris de tout principe
De clémence, d'amour, de paix et d'équité,
A la face du monde et de la liberté,
Sur le classique sol de toute indépendance,
Pris de férocité, gonflés d'outrecuidance,
On a vu des guerriers et des hommes d'État,
Juges, bourreaux, unis dans un même attentat,
Au-dessous d'un gibet qu'un peuple entier renie,
Groupés pour savourer un râle d'agonie!

Civilisation, admirez!... Ou plutôt
Contemplez, Patagon, Maoris, Hottentot!
Manksars, qui tatouez de sang votre visage!
Cafres, qui dévorez vos enfants en bas âge!
Approchez, Turajos, Tamboukis, Moluquois!
Venez, restes épars des cruels Iroquois,
Sioux, aux flancs de qui pendent des chevelures,
Fidjiens, qui jetez du sel sur les brûlures

Dont vous déchiquetez votre ennemi vivant,
Voici pour vos regards un spectacle émouvant!
Venez tous, Papouas, Apaches et Comanches,
Regardez bien ces blancs qui retroussent leurs manches;
Et voyez ce qu'on fait quand on est baptisé,
Qu'on est bon orangiste, et bien civilisé!

LE DERNIER MARTYR

Loin de tout ce qui brille et de tout ce qui tente,
Un brave petit peuple avait planté sa tente
Au désert, sur les bords de grands prés giboyeux,
Pour labourer le sol où chassaient leurs aïeux [46].

Bons, paisibles, naïfs, ne lisant qu'au grand livre
De Dieu, ne demandant rien que le droit de vivre
Et mourir à l'abri de toute agression,
Ils travaillaient avec la seule ambition
De léguer à leurs fils le petit coin de terre
Qu'ils arrosaient de la sueur du prolétaire....

La persécution les attaqua chez eux,
Et, sans même invoquer de prétextes oiseux,
Sur leurs biens, au soleil qui luit pour tout le monde,
S'en vint effrontément poser sa patte immonde.

Alors ces paysans, sans fusils, sans canons,
Retranchés sous les bois et dans leurs cabanons,
Défendant corps à corps leur franchise usurpée,
Furent tout simplement des héros d'épopée.
Ils vainquirent d'abord, mais on les écrasa.
Contre ces quatre-vingts rebelles on osa
— Deux grands cœurs ont depuis, sans morgue et sans
Reçu pour cet exploit des lettres de noblesse, —
Risquer, durant trois jours de combats imprudents,
Cinq mille hommes de troupe armés jusques aux dents.

Mais l'on avait la ruse... et des parlementaires!...
Confiant dans l'honneur et la foi militaires,
Le chef, pour protéger les femmes, les enfants,
Se livra de lui-même aux vainqueurs triomphants.

Les fatigues, la faim, les anxiétés sombres
Avaient sur sa pensée, hélas ! jeté leurs ombres
Les épreuves l'avaient vaincu, la trahison
Dans son âme acheva de tuer la raison
Sa vue eût attendri des loups ; mais l'Orangisme
Ne fut jamais suspect de sentimentalisme.

On fut clément pourtant   Riel, à son pied nu,
Ne dut traîner qu'un seul boulet. Du reste on eut
La générosité d'épargner la torture ;
On ne lui disloqua ni muscle ni jointure ;
Nuls brodequins, nuls fers rougis, nul chevalet ;
Rien qu'une chaîne avec un tout petit boulet !

Puis, vite un tribunal ! vite un jury complice !
Un juge bien choisi ! puis là, dans la coulisse,
La lèvre torse et l'œil tout injecté de sang,
Le Fanatisme avec son museau grimaçant !

— Mais cet homme n'a fait que défendre ses frères

Et leurs foyers.

— A mort !

— Mille actes arbitraires
Ont fait un drapeau saint de son drapeau battu...

— A mort !

— Mais songez-y, cet homme est revêtu
Du respect que l'on doit aux prisonniers de guerre :
Vous avez avec lui parlementé naguère.

— A mort !

— Mais tout rayon en lui s'est éclipsé ;
Allez-vous de sang-froid tuer un insensé ?

C'est impossible.

                    — A mort !

                              — Mais c'est de la démence
Pour lui le jury même implore la clémence...

— A mort !

                         — Un peuple entier réclame son pardon ;
Son supplice peut être un terrible brandon
De discordes sans fins et d'hostilités vaines...

— A mort ! à mort ! il a du sang français aux veines !

— Ah ! voilà son vrai crime ! eh bien, vous avez tort :

Un martyr ne meurt pas !

—A mort! à mort! à mort!...

A mort, soit. Mais la mort a des formes nombreuses.
Pourquoi ne pas prouver, en âmes généreuses,
Par des raffinements encore inusités,
Que l'on peut être artiste en fait d'atrocités?

C'est là ce qui fut fait. De semaine en semaine,
De sursis en sursis, la justice inhumaine
Laissa flotter la corde au cou du condamné.
Tuer, c'est peu de chose; un homme assassiné,
C'est bientôt fait; — pour mieux jouir de sa souffrance,
N'était-il pas charmant de laisser l'espérance
Luire un peu tous les jours au fond de son cachot?
Pour qu'un cœur souffre bien, il faut le tenir chaud ;
Il faut multiplier les plaisirs que l'on goûte;
Une belle agonie est superbe sans doute,
Mais trois ou quatre, c'est un spectacle de rois...

Lâches buveurs de sang! pieds plats et fronts étroits!
Quand vous assouvissiez cette noble vengeance,
Là-bas, près d'un foyer éteint par l'indigence,
Que n'avez-vous aussi vu cette mère en pleurs,
Écrasée a genoux sous le poids des douleurs !
Cette épouse mourante, et, dans cette humble bière,
Cet innocent d'un jour, mûr pour le cimetière !
Quelle scène pour vous, magnanimes vainqueurs!
Mais vous n'avez pas vu tout ce deuil, ô grands cœurs !
Vous n'avez pu goûter le poignant de ce drame;
Et la potence seule a réjoui votre âme .

Quel dommage!..

      Ce fut un beau jour; le soleil
Au loin s'était levé radieux et vermeil,
Des reflets mordorés inondaient la prairie,
L'horizon flamboyait comme un ciel de féerie,
Dans les lointains rosés, le vent des grands déserts
Dormait silencieux dans le calme des airs;
Tout s'était revêtu d'un aspect grandiose,
La nature semblait fêter l'apothéose

D'un héros malheureux, d'un saint et d'un martyr !

Quand la trappe s'ouvrit, le choc dut retentir
Avec un bruit lugubre en mainte conscience.
Mais nul besoin d'avoir le don de prescience,
Pour savoir que, parmi les coupables, beaucoup
Subiront de ce choc le fatal contrecoup.
Il aura son écho funèbre dans l'histoire.
Elle fera subir un interrogatoire
Terrible, à ceux d'abord dont l'orgueil tout-puissant
Mit sur notre blason cette tache de sang ;
Puis à ceux-là surtout qui, par instinct servile,
Par froide convoitise ou par lâcheté vile,
En permettant ce crime ont offert notre front
Au stigmate brûlant d'un éternel affront !

Ah ! nos nobles aïeux endormis sous la pierre
En s'éveillant ont dû refermer leur paupière,
Quand ils ont vu des fils, parjures à leur nom,
Les laisser souffleter sans oser dire non.

Si leurs regards ont pu suivre ce drame sombre,
Comme leurs cœurs si fiers ont dû saigner dans l'ombre !
Comme ils ont dû d'horreur vous maudire, hommes faux,
Qui pour les opprimés dressez des échafauds !

Ah ! tremblez ! ces grands morts, que trouble dans leurs tombes
Le sang qui coule ainsi des chaudes hécatombes,
Ont des voix qui sauront remuer les vivants [17]
Les crimes ont toujours des effets dissolvants,
Pourquoi des vieux griefs rouvrir l'ère fermée ?
L'expérience est là qui le dit, la fumée
Des bûchers trop souvent sait propager le feu
Tremblez, vous dont l'audace ose ainsi tenter Dieu !
Tremblez, aveugles fous dont la haine et la rage
Préparent pour nos fils un avenir d'orage !

Celui dont le regard gouverne l'univers
Avait, dans sa sagesse, à des peuples divers
Donné ce sol fécond, en patrimoine libre
L'esprit chrétien devait maintenir l'équilibre
Entre tous les enfants de ce commun berceau

Leur paix dure depuis cinquante ans ; l'arbrisseau
Est devenu grand arbre, et couvre au loin la plaine ;
Malheur à ces serpents dont la néfaste haleine
Répand dans ses rameaux les souffles empestés
Des haines, des conflits et des rivalités !

L'ORANGISME

Le dernier des martyrs?. . Non pas, le plus récent !
Les oppresseurs se sont toujours trompés   le sang
Des héros en produit infailliblement d'autres
Le bon droit n'en est pas à ses premiers apôtres,
Il n'en est pas non plus à ses derniers martyrs
Avant que luise enfin le jour des repentirs,
Avant que le soleil de justice se lève,
Avant que la rancune ait émoussé son glaive,
Le sang bien sûr encor rougira notre sol.

Le bourreau n'a pas dit son dernier mot; un vol
Sinistre de corbeaux sur les têtes tournoie;
Un cadavre, c'est peu pour leur faim, et la proie
Qu'on vient de leur livrer les met en appétit.

Écoutez la clameur qui là-bas retentit,
Ou plutôt cette voix bestiale qui beugle;
C'est le rugissement du fanatisme aveugle;
Le hurlement du monstre encore inassouvi.

Tant que, sous son pied-bot, notre peuple asservi
N'aura pas mis son front et plié son échine;
Tant que nous n'aurons pas, insensible machine,
Sans luttes, pour pâture à ses instincts étroits,
Abandonné, joyeux, le dernier de nos droits;
Tant que nous n'aurons pas, à son intolérance,
Sacrifié jusqu'au souvenir de la France;
Tant que notre foi sainte, à l'abri des lacets,
Gardera nos enfants, fiers, libres et Français;
Tant que par droit d'aînesse et par droit de conquête,

Notre race, chez soi, marchera haut la tête,
On entendra rugir le despote

                              Il lui faut
Notre asservissement, ou sinon   l'échafaud [481]

LE DRAPEAU ANGLAIS

Regarde, me disait mon père,
Ce drapeau vaillamment porté ;
Il a fait ton pays prospère,
Et respecte ta liberté.

C'est le drapeau de l'Angleterre ;
Sans tache, sur le firmament,
Presque à tous les points de la terre
Il flotte glorieusement.

Oui, sur un huitième du globe
C'est l'étendard officiel;
Mais le coin d'azur qu'il dérobe
Nulle part n'obscurcit le ciel.

Il brille sur tous les rivages;
Il a semé tous les progrès
Au bout des mers les plus sauvages
Comme aux plus lointaines forêts.

Laissant partout sa fière empreinte,
Aux plus féroces nations
Il a porté la flamme sainte
De nos civilisations.

Devant l'esprit humain en marche
Mainte fois son pli rayonna,
Comme la colombe de l'arche,
Ou comme l'éclair du Sina.

Longtemps ce glorieux insigne
De notre gloire fut jaloux,
Comme s'il se fût cru seul digne
De marcher de pair avec nous.

Avec lui, dans bien des batailles,
Sur tous les points de l'univers,
Nous avons mesuré nos tailles
Avec des résultats divers.

Un jour, notre bannière auguste
Devant lui dut se replier;
Mais alors s'il nous fut injuste,
Il a su le faire oublier.

Et si maintenant son pli vibre
A nos remparts jadis gaulois,
C'est au moins sur un peuple libre
Qui n'a rien perdu de ses droits.

Oublions les jours de tempêtes ;
Et, mon enfant, puisque aujourd'hui
Ce drapeau flotte sur nos têtes,
Il faut s'incliner devant lui.

— Mais, père, pardonnez si j'ose...
N'en est-il pas un autre, à nous ?
— Ah ! celui-là, c'est autre chose :
Il faut le baiser à genoux !

NOS TROIS COULEURS

A MON FILS

Regarde, mon enfant, ce chiffon souverain
Qui mêle — avec l'azur du firmament serein —
Dans l'éclat radieux de son pli tricolore,
Aux rougeurs du couchant les blancheurs de l'aurore !

Ces trois couleurs, drapant de leurs pures clartés
Trois principes féconds dans un seul reflétés,
C'est, insigne éternel de toute indépendance,
— Chapeau bas, mon enfant ! — le drapeau de la France !

Ecoute! ce drapeau n'a pas encor cent ans ;
Et, sur nuls bataillons aux panaches flottants,
Se ruant noir de poudre au milieu des mêlées ;
Sur nul rempart crachant les bombes par volées ;
A nul mât d'artimon secouant sous les cieux
Le pavillon vainqueur d'un peuple ambitieux ;
Sur la terre ou les flots, jamais l'âpre rafale,
— Non, jamais, même aux jours de clameur triomphale,
N'a déroulé de plis, aux yeux de l'univers,
Par des noms immortels plus noblement couverts !

Non, il n'a pas cent ans. Quand l'humanité sainte,
— Après avoir vidé plein sa coupe d'absinthe, —
Dans le trouble orgueilleux de sa maternité,
Sentit naître en son flanc la vierge Liberté,
Comme un astre porteur de consolants présages,
Il monta souriant à l'horizon des âges.

Les peuples, gouvernés en troupeaux de moutons,
Vers le progrès divin s'avançaient à tâtons ;
La France monarchique, un soufflet sur la joue,

Ayant vu sa grandeur s'écrouler dans la boue,
Les bras levés au ciel, attendait en chemin
Le solennel moment du grand réveil humain.

Le labarum nouveau dissipa les ténèbres.

Le vieux monde frémit jusque dans ses vertèbres.
Écrasant du talon tous les nids de vautours,
Balayant d'un seul coup la Bastille et ses tours,
Le peuple se leva sombre et vengeur; la France,
Poussant aux quatre vents son cri de délivrance,
Ébranla pour toujours les trônes délabrés
Du retentissement des vieux pouvoirs sombrés!

Épouvantés, les rois vont se liguer contre elle...
Ne crains rien, mon enfant, la France est immortelle!

Vois défiler là-bas tous ces joyeux conscrits,
Enfants de leur village ou gamins de Paris,
Sans vivres, sans souliers, chantant la *Marseillaise*;
Ils vont des temps nouveaux proclamer la genèse,
Et, sous le drapeau neuf, symbole de leurs droits,
Sauver la République en bousculant les rois !

Puis commence, géante, incroyable, inouïe,
Se déroulant aux yeux de l'Europe éblouie,
L'héroïque légende où l'univers entier
Au sublime haillon dut demander quartier.
Oui, ce haillon troué, mais que la gloire inonde,
A passé, mon enfant, sur le ventre du monde !

Incline-toi devant ses lambeaux vénérés !
Avec tout ton amour baise ses plis sacrés ;
Car ce drapeau sans peur, digne des chants d'Homère,
Ce drapeau, mon enfant, c'est celui de ta mère !

Il fut vaincu, c'est vrai, plus tard la trahison
Déshonora son aigle et souilla son blason ;
Mais lui, sans tache même au jour de la défaite,
Toujours fier, toujours pur, il brille encore au faîte
De tout ce que le siècle a produit de plus grand,
C'est l'emblème sacré, c'est le témoin flagrant
Des conquêtes du droit contre la tyrannie

O drapeau ! si jamais un Français te renie,
Que dis-je ? si la France, oubliant tes splendeurs,
Sous un autre guidon cherchait d'autres grandeurs,
Nous, ses enfants lointains, nous l'aimerions encore ;
Mais, fidèles à toi, glorieux tricolore,
Nous te clouerions au mât comme un cher souvenir
Que nos vieillards viendraient saluer et bénir,
En tournant leurs regards vers un temps plus prospère.

Et toi, mon fils, toujours Français comme ton père,
Quand je ne serai plus, que tu seras plus vieux,
Oh ! ne laisse jamais le lâche ou l'envieux
Flétrir ce défenseur de toute cause juste.

Et puis, ô mon enfant, si la bannière auguste
Devait cesser de luire au soleil canadien,
Sois son appui suprême et son dernier gardien !

SOUS LA STATUE DE VOLTAIRE

Ceci, c'est donc Voltaire !

                    Oui, je reconnais là
Ce « sourire hideux » que Musset flagella
Le bronze grandit l'homme et lui donne du torse ;
Mais c'est bien là toujours la même lèvre torse,
Qui, de miel pour les rois — ô rictus exécré ! —
Soixante ans insulta tout ce qui fut sacré,
Et dont, ô mon pays, sur ta sainte blessure,
Vint rejaillir un jour la lâche éclaboussure

Donc te voilà, Voltaire! eh bien, lève un instant
La membrane qui bat sur cet œil clignotant;
Dresse la tête, et puis laisse tomber le tome
Que tu tiens à la main. Bien! maintenant, grand homme,
De ta bouche détends un peu les plis amers,
Et regarde là-bas, au bout des vastes mers!

Vois-tu ces champs sans nombre où les moissons abondent?
Ce fleuve sillonné par des flottes que bondent
Les richesses des deux hémisphères? Vois-tu
Ce progrès qui, sortant de tout sentier battu,
Loin du pâle émeutier comme des cours serviles,
Défriche la forêt pour y fonder des villes?
Vois-tu ces bourgs nombreux et ces fières cités,
Où fleurissent en paix toutes les libertés,
D'où les produits du sol et celui des usines
S'en vont alimenter les nations voisines,
Où tout un peuple enfin, généreux et vaillant,
Grandit. et sait encor prier en travaillant?

Tu vois tout, n'est-ce pas?
                         Très bien, regarde encore!

Plus loin ! vois ce pays immense que décore

Un ciel fait pour nourrir des poitrines d'airains,

Sol auquel il ne faut que des bras et des reins

Pour que ses prés sans borne et ses plaines fécondes

Deviennent à jamais le grenier des deux mondes !

Enfin, vois tous ces grands territoires ouverts

Aux avatars futurs d'un nouvel univers,

Où serpente déjà la route colossale

Qu'avait rêvée un jour Cavelier de La Salle,

Empire qui, baigné par ses trois océans,

Peut embrasser l'Europe entre ses bras géants !

Et dis-moi maintenant, de ta voix satanique

Qui crut pouvoir flétrir par sa verve cynique,

Dans un libelle atroce, ignoble, révoltant,

L'héroïne que tout bon Français aime tant !

De ta voix qui, mêlant l'ironie à l'astuce,

Raillait la France afin de mieux flatter la Prusse,

Et qui savait si bien, ô galant troubadour,

En huant Jeanne Darc chanter la Pompadour !

Dis-moi, de cette voix tant de fois sacrilège,

Ce que valaient pourtant *quelques arpents de neige* [49] *!*

ÉPILOGUE

FRANCE

I

Quand des antiques jougs l'humanité se lasse ;
Quand il est quelque part un peuple à secourir ;
Qui donc à l'horizon voyez-vous accourir ?
A genoux, opprimés ! c'est la France qui passe !

Sans espoir et sans Dieu l'enfant de la forêt
Traîne-t-il sa misère à l'autre bout du monde,
Qui donc va lui verser la lumière féconde ?
Nations, saluez ! car la France apparaît !

De l'immense avenir resplendissante aurore,
Pour vous joindre en faisceau, peuples de l'univers,
Faut-il percer les monts ou rapprocher les mers,
Paladin du progrès, la France arrive encore !

Faut-il protéger l'humble, écraser Attila,
Relever qui succombe, abaisser qui s'élève,
Vaincre et civiliser par le livre ou le glaive,
Vaillant soldat du droit, la France est toujours là !

La France est toujours là ! Même au jour des naufrages,
Comme un phare sublime aux rayons éclatants,
Elle se dresse au bord des abîmes du temps,
De son flambeau superbe illuminant les âges.

La France est toujours là ! Semeur des jours nouveaux,
Elle va prodiguant la divine semence,
Laissant par derrière elle une traînée immense
D'exemples immortels et d'immortels travaux.

Nobles rives du Rhône, et vous, bords de la Loire,
Tolbiac, Marignan, Cérisoles, Rocroy,
Denain, Ivry, Coutras, Bouvines, Fontenoy,
Dites-nous si le monde a connu plus de gloire !

Et vous, ô Friedland, Ulm, Austerlitz, Eylau,
Lodi, Wagram, orgueil du drapeau tricolore,
Vous qui, malgré Sedan, éblouissez encore,
Dites-nous si l'histoire offre un plus fier tableau !

II

France, recueille-toi ! France, l'heure est sacrée !
L'humanité n'est plus la lourde barque ancrée
Où les marins, croyant leurs labeurs achevés,

S'endormaient au soleil ou chantaient aux étoiles :
Désormais le vaisseau navigue à pleines voiles
      Vers les grands horizons rêvés.

Timorés, faites place ! en arrière les lâches !
Voici pour les vaillants le jour des fières tâches.
Le dix-neuvième siècle est un vaste tournant
Où, presque épouvantés des étapes franchies,
Les peuples voient, au front des aubes rafraîchies,
      Poindre l'avenir rayonnant.

Oui, tout droit devant nous l'astre promis flamboie,
Jusqu'au fond du chenil où la routine aboie
Vont luire ses rayons si longtemps attendus.
Mais, hélas ! face à face avec d'autres problèmes,
Que d'hommes vont encor, groupes mornes et blêmes,
      S'entre-regarder éperdus !

Comme pour transformer il faut souvent dissoudre,
Le nouvel avatar aura des coups de foudre,
Des chocs inattendus ; et, spectacle inouï,

Peut-être verra-t-on les nations sans nombre,
Qui se heurtaient naguère en trébuchant dans l'ombre,
    Tâtonner le front ébloui.

Qui sera le sauveur? quel bras puissant et libre,
De l'immense bascule assurant l'équilibre,
Saura maintenir l'ordre en ce fatal milieu?
Quel timonier serein guidera le navire?
Quelle main forcera l'Europe qui chavire
    A servir les desseins de Dieu?

O France, c'est à toi qu'incombe ce grand rôle.
Ton nom a résonné de l'un à l'autre pôle;
Sous tous les cieux connus tes généreux enfants,
Fondant et délivrant par la croix ou l'épée,
Glorieux précurseurs d'une ère émancipée,
    Se sont promenés triomphants.

Tes hauts faits ont rempli les annales humaines;
Des sciences, des arts les plus secrets domaines
A tes hardis chercheurs n'ont plus rien à céler;

Et si ton cœur palpite, et si ton front remue,
Troublée en son ennui, notre planète émue
              Croit sentir son axe osciller.

Oui, ton passé fut beau ; superbe est ton histoire ;
Bien des siècles verront de ton ancienne gloire
Le socle à l'horizon du monde se dresser,
Tes fils ont éclipsé tous les héros d'Homère .
Mais tout cela n'est rien ; c'est maintenant, ô mère !
              Que ta tâche va commencer.

Tu seras — et c'est Dieu lui-même qui t'y pousse —
La pacificatrice irrésistible et douce.
Tu prendras par la main la pauvre humanité
Trop longtemps asservie à la haine ou la crainte,
Et tu la sauveras par la concorde sainte,
              Par la sainte fraternité !

Aux sentiers belliqueux tu sus battre la marche,
France, sois maintenant la colombe de l'arche ;
Porte à tous l'olivier, c'est là ta mission ;

Calme, guéris, cimente, harmonise, illumine ;
Et par un sceau d'amour scelle l'œuvre divine
De la civilisation !

III

Mais pourras-tu suffire à cette tâche immense,
Patrie ? Autour de toi les peuples en démence
N'entraveront-ils pas ton généreux élan ?
Là-bas, aux bords du Rhin, le sabre du hulan
N'arrêtera-t-il pas ta poussée impuissante
Vers la terre promise où luit, incandescente,
L'aurore du progrès fraternel et fécond ?
Te verra-t-on faiblir au bord du Rubicon ?

Pour la première fois verrait-on, — ô souffrance ! —
Les mots « vaincre ou mourir » t'intimider, ô France ?

Non ! quel que soit l'obstacle à franchir ou briser,
Ton bras sait entreprendre et ton cœur sait oser.

En avant donc ! courage ! entre dans la carrière,
Laisse les indécis regarder en arrière !
Toi, marche sans pâlir tout droit vers le grand but.
Pour le bonheur commun chacun son attribut :
Le tien, c'est d'affermir la nef européenne,
De retrouver l'Éden, de combler la Jéhenne,
De cimenter la paix entre tous les pouvoirs,
D'équilibrer partout les droits et les devoirs,
Aux rayons du progrès d'ouvrir toutes les caves,
D'apprivoiser les loups qui rôdent les yeux caves,
Et, vers les grands sommets, dans les pures clartés
Que verse le soleil des saintes libertés,
— Sommets où l'avenir a taillé son domaine, —
De diriger enfin la caravane humaine.

Oh ! la tâche est bien rude, et grave est le danger.
Je le sens, tu verras contre toi s'insurger

Avec les carnassiers leurs victimes sans nombre,
Les aveugles du jour et les hydres de l'ombre ;
Tu verras contre toi combattre au premier rang
L'esclave armé qui sert de rempart au tyran.

La lutte sera trop inégale peut-être.
Sous l'effort combiné du despote et du reître,
Peut-être verras-tu s'éclipser ton grand nom,
Et s'effondrer au choc ta puissance... Mais non !
Tu sauras museler cette meute hagarde.
Marche sous l'œil de Dieu qui là-haut te regarde ;
Va vers ta destinée à n'importe quel prix ;
Subis ta sainte loi : civilise... ou péris !

Oui, péris, s'il le faut, — pardonne à ce mot sombre ! —
Ainsi qu'un grand navire incendié qui sombre,
Ou plutôt comme l'astre immense qui s'éteint,
Le soir, dans les brasiers de l'horizon lointain,
Drapé dans les replis d'une pourpre sanglante,
Et qui, longtemps après que sa masse aveuglante
S'est engloutie au loin dans les cieux entr'ouverts,
De ses rayons mourants dore encor l'univers !

Et puis si les hiboux disaient : — La France est morte !
On entendrait là-bas, de leur voix mâle et forte,
Nos enfants, relevant le drapeau des grands jours,
Crier au monde entier ·

                                        — La France vit toujours !

NOTES

NOTES

(1) Cette pièce se trouve en tête de la dernière édition de l'*Histoire du Canada* par François-Xavier Garneau, et est accompagnée de l'envoi suivant :

> Et toi, Garneau, salut! salut à ta mémoire,
> Fidèle historien de toute cette gloire!
> Poète enthousiaste et modeste érudit,
> Au-dessus de ce cadre immense et poétique,
> Ainsi qu'un médaillon antique,
> Ton mâle profil resplendit!
>
> Tu chantes nos exploits; nos héros, tu les comptes;
> Avec quel sentiment d'orgueil tu nous racontes
> Le passé de ce peuple héroïque et chrétien!
> Mais, parmi les grands noms exhumés par ta plume,
> Il en manque un dans ton volume,
> Et ce nom, Garneau, c'est le tien!
>
> Eh bien! nous l'y mettrons, nous, tes humbles disciples!
> Ton génie a tressé des couronnes multiples
> Pour tous nos Marius et pour tous nos Catons :

Nous voulons — droit sacré, dettes nationales ! —
Que ton nom vive en nos annales,
Et brille sur tous nos frontons !

(2) Cette pièce, adressée aux membres de l'Institut canadien de Boston, se terminait par cet envoi :

Enfants du Canada, fils de la noble France,
Qui vivez étrangers sous un autre horizon,
Vous pouvez réclamer de ce double blason
La fière et franche indépendance

Non seulement la France a porté la clarté
Jusqu'aux confins perdus de l'univers sauvage ;
Elle a jete partout, terrassant l'esclavage,
Le germe de la liberté

Vous avez, je le sais, conservé ce prestige ;
Votre Institut s'en montre inflexible soutien ;
Vous portez pour devise un mot fier et chrétien
Ajoutez-y . — *Noblesse oblige !*

(3) « Le monarque, qui avait conservé le gout des entreprises lointaines, se voyant en paix avec ses voisins, agréa le projet de son amiral (Philippe de Chabot), et en confia l'execution à Jacques Cartier, habile navigateur de Saint-Malo Lorsque la nouvelle en parvint aux rois d'Espagne et de Portugal, ils se recrièrent — « Eh ! quoi, dit en riant François Ier « quand on lui rapporta leurs prétentions, ils partagent tranquillement entre « eux toute l Amérique sans souffrir que j'y prenne part comme leur frère ! « Je voudrais bien voir l'article du testament d'Adam qui leur lègue ce « vaste héritage ! » (GARNEAU, *Hist. du Canada*)

(4) « Après la celebration des saints mysteres, toute la troupe s'avança jusque dans le chœur de la cathédrale, et vint se ranger autour du trône, où l'evèque de Saint-Malo, Mgr Bohier, revêtu des ornements pontificaux, appela sur eux et sur leur expédition toutes les grâces du ciel, et leur

donna sa bénédiction. Cet acte solennel fut le sacre de la France américaine à son berceau. » (L'Abbé H.-R. Casgrain, *Hist. de la M. Marie de l'Incarnation*)

(5) Jacques Cartier quitta Saint-Malo avec sa flottille, composée de la *Grande-Hermine,* de la *Petite-Hermine* et de l'*Émeril-
lon,* le 19 mai 1535.

(6) Les découvreurs entrèrent dans le bassin de Québec le
14 septembre 1535.

(7) Comme les historiens ne sont pas d'accord sur l'endroit
où s'est dite la première messe au Canada, l'auteur a préféré s'en
rapporter a une vieille tradition, tres plausible du reste, qui veut
que cette cérémonie ait eu lieu au confluent du Saguenay et du
Saint-Laurent, à l'endroit où s'élève aujourd'hui le village de
Tadoussac Ce fut d'ailleurs à cet endroit que fut construite la
première chapelle

(8) Louis Hebert, apothicaire de Paris, herboriste passionné, grand ami
de l'agriculture, suivit Poutrincourt en Acadie dès 1604, et commença des
cultures a Port-Royal Cet établissement ayant été ravagé par les Anglais
de la Virginie (1613), Hébert retourna en France, puis repartit (1617) avec
sa famille pour aller se fixer à Québec, ou il fut le premier colon du Canada
qui se nourrit du produit de la terre (Benjamin Sulte *Notes inédites*)

(9) Ce fut le 17 mai 1642 que de Maisonneuve prit pied à l'endroit que, trente et un ans auparavant, Champlain avait choisi
pour y fonder l'établissement qui devait être plus tard Montréal.
Les details de cette piece sont strictement historiques. Voici
comment l'historien Parkman raconte ce curieux épisode :

« Ils s'agenouillèrent dans un religieux silence au moment où l'hostie
s'élevait, et, quand la cérémonie fut terminée, le prêtre se retourna et leur

adressa ces paroles : — « Vous êtes un grain de sénevé, qui va germer et
« grandir jusqu'à ce que ses rameaux ombragent la terre. Vous êtes peu
« nombreux, mais votre œuvre est celui de Dieu. Son sourire est sur vous,
« et vos enfants rempliront la contrée. » — L'après-midi s'écoula ; le soleil
sombra derrière les montagnes du couchant, et la lumière fit place au crépuscule. Des lucioles voltigeaient dans la plaine assombrie. On s'en empara,
et on les attacha à des fils en festons étincelants qu'on suspendit sur l'autel,
où le Saint-Sacrement était resté exposé. Alors on planta les tentes, on alluma
les feux de bivouac, on plaça les sentinelles, et chacun se retira pour dormir.
Telle fut la nuit où naquit Montréal. (*The Jesuits in North America.*)

(10) Mlle de Verchères, l'héroïne de cet épisode, naquit en
1678. Ce fut en 1692 qu'elle accomplit cet exploit. Plus tard, elle
épousa Pierre-Thomas Tarieu de Lanaudière, seigneur de Sainte-
Anne de La Pérade.

(11) « On était rendu aux premiers jours du mois d'août (1689), et rien
n'annonçait un événement extraordinaire, lorsque, tout à coup, quatorze cents
Iroquois traversent le lac Saint-Louis, dans la nuit du 5, durant une tempête
de grêle et de pluie qui les favorise, et débarquent en silence sur la partie
supérieure de l'île de Montréal. Avant le jour, ils se sont placés par pelo-
tons, à toutes les maisons, sur un espace de plusieurs lieues. Les habitants
sont plongés dans le sommeil. Les Iroquois n'attendent plus que le signal :
il est donné. Alors s'élève un effroyable cri de mort ; les portes sont rom-
pues, et le massacre commence partout en même temps. Les sauvages
égorgent d'abord les hommes ; ils mettent le feu aux maisons qui résistent,
et lorsque la flamme en fait sortir les habitants, ils épuisent sur eux tout
ce que la fureur et la férocité peuvent inventer. Ils ouvrent le sein des
femmes enceintes pour en arracher le fruit qu'elles portent, et contraignent
les mères à rôtir vifs leurs enfants. Deux cents personnes périssent dans
les flammes. Un grand nombre d'autres sont entraînées dans les Cantons
pour y souffrir le même supplice. L'île est inondée de sang et ravagée
jusqu'aux portes de la ville de Montréal. De là, les Iroquois passent sur la
rive opposée ; la paroisse de La Chenaie est incendiée tout entière, et une
partie des habitants est massacrée. » (GARNEAU, *Hist. du Canada.*)

(12) Les principaux martyrs de la foi au Canada sont : le
P. Viel, noyé par les Hurons, au Saut-au-Récollet, en 1630 ; — le

missionnaire De Noue, trouvé gelé dans les îles de Sorel, en 1646,
— le P Jogues, martyrisé par les Agniers, en 1647, — les PP
Daniel, de Brebœuf, Lallemant, Chabanel, Garnier, Butteux, Lié-
geois, Garneau, Le Maître, massacrés par les Iroquois, de 1648 à
1661, — et enfin le P Rasle, tué au seuil de sa chapelle, par les
Anglais, en 1727 Les supplices que les sauvages faisaient subir à
ces héroïques missionnaires étaient épouvantables On les traî-
nait pieds nus, durant des semaines, à travers la forêt, quelquefois sur le sol glacé, puis on les forçait de marcher sur des char-
bons ardents, on les meurtrissait de coups, on leur labourait la
chair avec des aiguillons enflammés, on leur arrachait les ongles,
on leur coupait les phalanges avec les dents, puis on leur fumait
les doigts ainsi mutilés dans des pipes brûlantes, on rouvrait
leurs plaies et on les laissait béantes jusqu'à ce que les vers s'y
missent, on les attachait à des poteaux, de façon qu'ils ne pus-
sent se reposer un seul instant, et dans cette position, on leur
passait autour du cou des colliers de haches rougies à la flamme,
et autour du corps des ceintures d'écorce enduites de gomme et
de résine en feu, ou leur arrachait la chevelure, puis on leur
versait de l'eau bouillante sur le crâne, que l'on recouvrait ensuite d'une couche de braise, on leur enlevait des lambeaux de
chair, qu'on faisait griller et qu'on dévorait ensuite sous leurs
yeux, enfin tout ce que la plus horrible férocité pouvait imagi-
ner était mis en œuvre par ces barbares pour torturer ceux qui
leur apportaient, au prix de tant de peines et de sacrifices, les
bienfaits du christianisme et de la civilisation.

(13) L'épisode qui fait le sujet de cette pièce n'est pas précisément historique Mais les faits analogues étaient d'occurrence
journalière dans les premiers temps de la colonie. Le terrible
souvenir s'en est perpétué jusqu'à nos jours parmi la population
canadienne On n'y parle jamais de Croquemitaine aux enfants
récalcitrants, on dit *Les sauvages vont venir* !

(14) Cavelier de La Salle était natif de Rouen. Il découvrit les
bouches du Mississipi en février 1682, et fut massacré par ses
compagnons le 21 mai 1687. On lui a élevé un monument com-
mémoratif dans la cathédrale de Rouen, le 26 mai dernier. C'est
pour cette occasion qu'a été composée la pièce qu'on vient de
lire, — ce qui explique l'allusion qui la termine.

(15) Cette fameuse expédition partit de Montréal en mars 1686;
elle atteignit la baie d'Hudson le 18 juin. Sa marche avait donc
duré trois mois. La petite armée se composait de soixante-dix
Canadiens commandés par d'Iberville, et de trente soldats sous
les ordres de M de Troyes La description que l'auteur fait des
difficultés, des fatigues et des dangers que cette petite armée eut
à subir n'a rien d'exagéré. Arrivée à la baie d'Hudson, elle s'empara des forts Monsonis, Rupert et Sainte-Anne, ce dernier était
armé de quarante-trois pièces de canon. « Pendant que le chevalier de Troyes donnait l'assaut à ce fort, dit Garneau parlant du
fort Rupert, d'Iberville et son frère Maricourt, avec neuf hommes
montés sur deux canots d'écorce, attaquaient un bâtiment de
guerre sous la place et le prenaient à l'abordage. Le gouverneur
de la baie d'Hudson fut au nombre des prisonniers »

(16) Mme de La Peltrie, fondatrice des ursulines de Québec,
fut l'une des plus belles figures de notre histoire. Elle s'appelait
de son nom propre Marie-Madeleine de Chauvigny et appartenait
à la haute noblesse normande Elle épousa, à dix-sept ans, un
jeune gentilhomme du nom de La Peltrie, qui mourut cinq ans
apres Alors elle décida de consacrer sa vie et sa fortune à l'in-
struction des petits sauvages du Canada. Mais son père, qui l'ado-
rait, voulait la marier à un certain M. de Bernières Elle s'entendit avec ce dernier, qui lui-même avait fait vœu de chasteté,
pour simuler un mariage, et, son père étant mort, elle s'embar-
qua à Dieppe, le 4 mai 1639, pour le Canada, avec cinq autres

religieuses, au nombre desquelles se trouvait la fameuse Marie de l'Incarnation. En touchant la terre du Canada, toutes se jetèrent à genoux et baisèrent le sol. Le vieux frêne dont il s'agit ici se trouvait enclavé dans la cour du monastère fondé par la sainte veuve, et la tradition veut que ce soit sous son ombre qu'elle allait s'asseoir de préférence pour enseigner la lecture et le catéchisme aux petites filles des Hurons. Quand il fut renversé par une tempête, le 24 juillet 1867, on l'appelait encore « le frêne de Mme de La Peltrie ».

(17) « En 1660, seize jeunes Français, commandés par Daulac, furent attaqués par sept cents Iroquois, dans un méchant fort de pieux, au pied du Long-Sault ; avec l'aide d'une cinquantaine de Hurons et d'Algonquins, ils repoussèrent tous les assauts pendant dix jours. Mais, abandonnés à la fin par la plupart de leurs alliés, ils ne purent résister à une attaque et succombèrent. L'un des quatre Français qui restaient encore avec quelques Hurons, lorsque l'ennemi pénétra dans l'intérieur du fort, voyant tout perdu, acheva à coups de hache ses compagnons blessés, pour les empêcher de tomber vivants entre les mains du vainqueur. Le dévouement de Daulac arrêta les premiers efforts d'un orage qui allait fondre sur le Canada, car les ennemis, qui avaient essuyé des pertes très considérables, furent si effrayés de cette résistance, qu'ils abandonnèrent une grande attaque qu'ils venaient faire sur Québec, où la nouvelle de leur approche avait répandu la consternation. Après s'être emparés de cette ville, leur projet était de se rabattre sur les Trois-Rivières et sur Montréal, et de mettre tout à feu et à sang dans la campagne... Un Huron, échappé par hasard au massacre du Long-Sault, annonça aux habitants la retraite de l'ennemi. » (GARNEAU, *Hist. du Canada*.)

(18) Cette touchante histoire est strictement historique. La complainte ainsi trouvée sur le cadavre du pauvre Cadieux a été longtemps populaire. La voici, telle que nous l'a transmise la tradition :

> Petit rocher de la haute montagne,
> Je viens finir ici cette campagne ;

Ah! doux échos, entendez mes soupirs,
En languissant je vais bientot mourir!

Petits oiseaux, vos douces harmonies,
Quand vous chantez, me rattach'nt à la vie;
Ah! si j'avais des ailes comme vous,
Je s'rais heureux avant qu'il fût deux jours

Seul en ces bois que j'ai eu de soucis,
Pensant toujours à mes si chers amis,
Je demandais. — Helas! sont-ils noyés?
Les Iroquois les auraient-ils tués?

Un de ces jours que m'étant eloigné,
En revenant je vis une fumée,
Je me suis dit — Ah! grand Dieu, qu'est ceci?
Les Iroquois m'ont-ils pris mon logis?

Je me suis mis un peu a l'embassade,
Afin de voir si c'était embuscade,
Alors je vis trois visages français;
M'ont mis le cœur d'une trop grande joie!

Mes genoux pli'nt, ma faible voix s'arrête,
Je tombe. Hélas! à partir ils s'apprêtent.
Je reste seul! Pas un qui me console,
Quand la mort vient par un si grand désole!

Un loup hurlant vint près de ma cabane
Voir si mon feu n'avait plus de boucane,
Je lui ai dit. — Retire-toi d'ici,
Car, par ma foi, je perc'rai ton habit!

Un noir corbeau, volant à l'aventure,
Vint se percher tout près de ma toiture;

Je lui ai dit : — Mangeur de chair humaine,
Va-t'en chercher autre viande que mienne !

Va-t'en là-bas, dans ces bois et marais,
Tu trouveras plusieurs corps iroquois ;
Tu trouveras des chairs, aussi des os ;
Va-t'en plus loin, laisse-moi en repos !

Rossignolet, va dire à ma maîtresse,
A mes enfants qu'un adieu je leur laisse,
Que j'ai gardé mon amour et ma foi,
Et désormais faut renoncer à moi !

C'est donc ici que le mond' m'abandonne ;
Mais j'ai recours à vous, Sauveur des hommes !
Très sainte Vierg', ne m'abandonnez pas !
Permettez-moi d'mourir entre vos bras !

(19) Voici les propres paroles de Frontenac : — *Allez dire à votre maître que je lui répondrai par la bouche de mes canons !* Cela se passait le 16 octobre 1690.

(20) Ce drapeau, pris sur l'ennemi dans des circonstances si extraordinaires, resta jusqu'en 1759 suspendu aux voûtes de la cathédrale de Québec, et fut détruit avec elle dans l'incendie allumé par les bombes que la flotte de Wolfe faisait pleuvoir sur la ville assiégée. Ce fut un M. de Sainte-Hélène qui accomplit ce prodigieux exploit.

(21) Voici les noms des huit vaisseaux de sir Hovenden Walker, qui périrent, dans cette circonstance, sur les rochers de l'Ile-aux-OEufs, le 22 août 1711 : — l'*Isabella-Ann-Cathrin,* le *Chatam,* le *Marlborough,* le *Merchant of Smyrne,* le *Colchester,* le

Nathaniel-Elizabeth, le *Samuel-Ann* et le *Content.* Les rapports
constatent à peu près onze cents victimes. C'est à cette occasion
que l'église de Notre-Dame, dans la basse ville de Québec, reçut
le titre de *Notre-Dame-des Victoires.* Sous le titre de l'*Amiral du
brouillard,* M. Faucher de Saint-Maurice a publié sur le même
sujet une tres intéressante nouvelle, qui fait partie de son recueil
intitulé *A la brunante.*

(22) La bataille de Carillon, sur les bords du lac Saint-Sacrement, eut lieu le 8 juillet 1758. Montcalm, à la tête de trois mille
six cents Canadiens, après six heures de lutte, y battit quinze
mille hommes commandés par le général Abercromby. Pertes du
côté des Français, trois cent soixante-dix-sept hommes dont trente-
huit officiers ; du côté des Anglais, on avoua deux mille hommes
dont cent vingt-six officiers, mais toutes les relations françaises
parlent de quatre ou six mille hommes tués ou blessés. Le soir de
la bataille, l'heureux vainqueur écrivait à M. Doreil, son ami :
« L'armée, et trop petite armée du roi, vient de battre ses ennemis. Quelle journée pour la France ! Si j'avais eu deux cents sauvages pour servir de tête à un détachement de mille hommes
d'élite, dont j'aurais confié le commandement au chevalier de Lévis,
il n'en serait pas échappé beaucoup dans leur fuite Ah ! quelles
troupes, mon cher Doreil, que les nôtres ! Je n'en ai jamais vu
de pareilles ! » Et le lendemain, il écrivait à M de Vaudreuil
« Je n'ai eu que la gloire de me trouver le général de troupes
aussi valeureuses .. Le succès de l'affaire est dû à la valeur
incroyable de l'officier et du soldat. »

(23) Cette précieuse relique, qu'on appelle le Drapeau de
Carillon, est aujourd'hui la propriété de Me Baillargé, avocat de
Québec. Elle a fait le sujet de l'un des plus beaux poèmes d'Octave
Crémazie. Ce dernier, poète d'un véritable mérite, est l'auteur
d'un grand nombre de productions patriotiques, qui, de 1856 à

1863, donnèrent à notre littérature canadienne une impulsion qui ne s'est pas ralentie depuis. Né à Québec en 1827, il est mort en 1877, au Havre, où il résidait depuis quelques années.

(24) Wolfe avait, dans la nuit du 12 au 13 septembre 1759, par un sentier abrupt, réputé impraticable, pu faire atteindre à son armée le haut de l'escarpement, d'où les plaines d'Abraham dominent Québec. Ce sentier était défendu par un poste commandé par un nommé Vergor, qui fut pris dans son lit. Ce même Vergor, trois ans auparavant, avait rendu sans combat le fort de Beauséjour dont il était commandant.

« Accusé, dit Garneau, devant une cour martiale, pour la reddition de ce fort, il avait été acquitté, grâce aux intrigues de l'intendant. Il était capitaine dans les troupes de la marine. C'est à ce favori bien digne de lui que Bigot écrivait un jour en partant pour la France, d'où il n'aurait jamais dû revenir : — « Profitez, mon cher Vergor, de votre place; taillez, rognez, « vous avez tout pouvoir, afin que vous puissiez bientôt venir me rejoindre « en France, et acheter un bien à portée de moi. »

(25) Montcalm avait écrit au ministre de la guerre : « Nous combattrons et nous nous ensevelirons, s'il le faut, sous les ruines de la colonie. » A cette fameuse bataille d'Abraham, les Anglais étaient deux contre un.

(26) Bigot était l'intendant de la colonie. M. Margry dit de lui : « Bigot n'avait jamais assez d'argent pour le dissiper. » — Ces employés publics, l'intendant Bigot à leur tête, parvinrent, à une époque suprême où les conjectures ne permettaient point de porter remède aux maux, à accaparer toute la fourniture du roi; elle s'éleva à plus de quinze millions à la fin de la guerre... Il (Bigot) faisait enlever au nom du roi les grains et les bestiaux à bas prix, et les faisait revendre par la Société à des prix excessifs. Ainsi le pain, qui revenait à la compagnie à 3 sous la livre et la viande à 6, coûtait au public de 20 à 30 sous et de 40 à 50 sous! On assure qu'il réduisit les habitants de Québec à deux onces de pain par

jour, afin de hausser le prix des denrees   Les déprédations de cette Société
etaient presque aussi funestes que les entreprises de l'ennemi . La récolte
avait entièrement manqué. Dans plusieurs paroisses, on avait a peine
recueilli les semences .. Dans les maisons religieuses, la portion journalière fut réduite à une demi-livre de pain par tête; et il fut proposé de
fournir aux habitants des villes une livre de bœuf, de cheval ou de morue
sèche par tête, outre le quarteron de pain qui leur etait distribue alors,
et qui fut jugé insuffisant   En decembre (1758) la ration fut encore
amoindrie . Il y avait longtemps que le peuple, à Quebec comme à Montréal,
ne mangeait presque plus de pain, et que les officiers mêmes, à Québec
comme a Montréal, n'en avaient qu'un quarteron par jour... Au mois d'avril
suivant (1759), on fut obligé de réduire encore la ration des habitants de
Québec, et de la fixer à deux onces de pain et à huit onces de lard ou de
morue par jour On voyait des hommes tomber de faiblesse dans les rues
par défaut de nourriture. Plus de trois cents Acadiens refugiés moururent de misere et de faim. (GARNEAU, *Hist. du Canada*)

(27) Bataille de Sainte-Foye, 28 avril 1760. Ce fut la dernière
que se livrèrent les deux puissances ennemies, — si l'on en excepte
le combat de *l'Atalante,* une résistance désespérée et non une
bataille. Le chevalier de Lévis, plus tard maréchal de France,
y sauva l'honneur du drapeau par une dernière victoire

(28) « Tout ce que les Français pouvaient faire, c'était de garder leurs
lignes en attendant des secours d'Europe... De leur côte, les assiegés n'attendaient de salut que de l'arrivée de leur flotte Ainsi, de part et d'autre,
la croyance générale était que la ville restait au premier drapeau qui
paraîtrait dans le port . Ainsi, tout le monde, assieges et assiegeants,
tournait-il, avec la plus vive anxiéte, les yeux vers le bas du fleuve, d'ou
chacun espérait voir venir le salut   Le 9 mai 1760, une frégate entra dans
le port. » (GARNEAU, *Hist. du Canada*)

C'était une frégate anglaise, suivie bientôt par deux autres
gros vaisseaux de guerre, appartenant à la même nationalité.
Cette pièce fut écrite en 1883, à l'occasion du cinquantenaire de
l'arrivée au Canada de M. le docteur Picault, ancien vice-consul

de France à Montréal, — hélas! disparu aujourd'hui Elle était
accompagnée de l'envoi suivant ·

> Hier, en relisant cette navrante page,
> Déjà par plus d'un siècle effacée à demi,
> Je vous nommais, monsieur, car, après ce naufrage,
> L'un des premiers Français que revit notre plage,
> Ce fut vous, ô mon vieil ami !

> Cinquante ans vous avez vécu notre existence,
> D'exemples nous donnant tout ce qu'on peut donner .
> Merci ! Si de ces jours de deuil et de souffrance,
> Notre amour avait pu tenir compte à la France,
> Vous nous auriez fait pardonner !

(29) M. Faucher de Saint-Maurice a admirablement raconté
cet épisode héroïque dans un important travail intitulé *Un
des oubliés de notre histoire,* et préparé pour la Société royale
du Canada, dont il est un des membres les plus actifs. J'ai em-
prunté à ce travail certains détails dont nos autres historiens ne
font pas mention. De retour en France, Vauquelain voulut entrer
dans la marine royale. M. de Berryer, secrétaire de la marine, lui
fit répondre qu'il ne pouvait donner aucun grade à un roturier,
quand plusieurs fils de famille attendaient les promotions. Malgré les avis du ministre, il obtint cependant un brevet de lieute-
nant de vaisseau en 1763. Le mémoire cité par M. Faucher de
Saint-Maurice ajoute ·

Une grande partie de la marine royale ne le vit pas sans peine élevé à
ce grade. M. de Praslin, ayant besoin d'un officier capable de s'acquitter
d'une commission importante dans les grandes Indes, donna, par commission, le commandement d'un vaisseau de soixante canons à Vauquelain.
Ce choix excita encore la jalousie de la marine royale, qui opposa plusieurs
obstacles à son départ. Vauquelain en triompha et sortit de Rochefort
pour se rendre aux grandes Indes. Pendant la traversée, cet officier de

fortune essuya les plus grands désagréments de la part des officiers de vaisseau qu'il commandait Enfin, il arriva heureusement a Pondichéry, remplit avec distinction sa mission, et revint en France M le duc de Praslin
n'était plus alors ministre de la marine, et celui qui lui avait succédé,
faute de connaître Vauquelain, ne put se garer des rapports de la calomnie. Des que ce brave marin eut mis pied a terre, on lui enjoignit de rester aux arrets dans son appartement Après trois a quatre mois de détention, Vauquelain reçut l'ordre qu'on lui rendait sa liberté Le premier
usage qu'il crut devoir en faire fut d'aller a Versailles rendre compte de
sa traversée des Indes Mais, avant de partir, la reconnaissance lui fit un
devoir de saluer et de remercier plusieurs officiers de marine, qui n'avaient
point rougi de le visiter dans sa disgrâce Il sortit, a cet effet, sur le soir,
et fut trouvé mort le lendemain matin, percé de coups, sans qu'on en ait
connu les auteurs

Le héros fut solennellement réhabilité sous Louis XVI.

(30) La famille Sauriol existe encore aux environs de Montréal, et c'est chez elle qu'a été recueillie la tradition qui forme
le fond du sujet traité par l'auteur.

(31) Voici les noms des cinq excommuniés dont il s'agit dans
cette pièce — 1° Marguerite Racine, célibataire, âgée d'environ
trente ans, morte au mois de mars 1784, 2° Laurent Racine, cousin germain de la précédente, et mort trois ou quatre semaines
après, âgé aussi d'environ trente ans, 3° Félicite Doré, épouse
de Charles Dubord, âgée de cinquante-huit ans, morte environ
trois mois après les précédents, 4° Pierre Cadrain, mort en 1786,
à l'âge de soixante-dix ans, 5° Jean-Baptiste Racine, père de
Laurent Racine, plus haut nommé, mort en 1788, à l'âge de
soixante-sept ans — Ils furent enterrés dans un champ, au quatrième rang des concessions de la paroisse de Saint-Michel de
Bellechasse, à 6 mètres du chemin royal, sur la terre appartenant
alors a un nommé Cadrain, et aujourd'hui la propriété de

MM. François et Joseph Pouliot. Cet endroit était autrefois redouté des passants. D'après les croyances populaires, on y voyait des fantômes, des apparitions. En octobre 1880, à la demande des propriétaires du terrain, on fit l'exhumation des cinq cadavres, pour les confier au cimetière réservé aux enfants morts sans baptême. On trouva les cercueils presque intacts et les ossements bien conservés. L'excommunication avait été prononcée par Mgr Briand, alors évêque de Québec. L'auteur n'a pas l'intention, dans cette pièce, de blâmer une mesure qui, si rigoureuse qu'elle paraisse au premier abord, était peut-être rendue nécessaire par les circonstances. On sait ce qui arriva aux pauvres Acadiens qui ne voulurent point se soumettre au sort des armes. Leur dispersion légendaire fut le prix de leur patriotisme. L'évêque de Québec voulut probablement préserver notre peuple d'un pareil malheur.

Mgr Briand était né en France.

Cette pièce, lue à un banquet donné à Montréal en l'honneur d'un député français de passage au Canada, était suivie de cet envoi :

> Ami, vous retournez au beau pays de gloire
> Qu'on appelle la France, et qu'on aime à genoux ;
> Si l'on vous y parle de nous,
> Racontez cette histoire !

(32) L'auteur tient ce récit de M. J. A. Provancher, un de nos journalistes canadiens les plus distingués, qui a recueilli la tradition sur les lieux mêmes, et prétend l'avoir vue constatée par un historien américain dont il a oublié le nom. En tout cas, le fait, bien que n'étant pas consigné dans notre histoire, est suffisamment accrédité parmi notre population pour qu'on puisse le considérer comme authentique.

(33) « Il (Montcalm) fut enseveli, dit Garneau, à la lueur des flambeaux, dans l'église des religieuses ursulines, en présence de quelques officiers ; il

eut pour tombeau une fosse qu'une bombe en eclatant avait creusée sous la chaire, le long du mur .

Wolfe possède un magnifique mausolée dans l'abbaye de Westminster, à Londres L'obélisque de Québec fut inauguré le 8 septembre 1828, jour anniversaire de la capitulation de Montréal.

(34) « Un despotisme sourd . s'étendait sur les villes et les campagnes Le secret des correspondances privées était violé . Chaque jour, des citoyens imprudents étaient jetés en prison avec grand bruit pour effrayer le public, d'autres, plus dangereux, disparaissaient soudain, et ce n'était que longtemps après que leurs parents ou leurs amis apprenaient dans quel cachot ils étaient retenus . Cette tyrannie inquiète, d'autant plus lourde qu'elle s'exerçait sur une population faible en nombre, descendit du chef du pouvoir aux juges dans les tribunaux Les accuses etaient atteints non seulement dans leur liberté personnelle, mais dans leur fortune. Plusieurs furent ruinés par des denis de justice ou par des jugements iniques, rendus sans scrupule, au mépris de toutes les lois et de toutes les formalites de la justice De riches citoyens des villes furent dépouilles de leurs biens par ce système de persecution Sans aucune forme de procès, les soldats arrêtaient les uns sous de vagues accusations de haute trahison, les autres pour des causes moins graves, d'autres enfin sans cause connue On commença par les personnes de moindre importance, et l'on remonta a celles des premiers rangs de la société. Ainsi, MM Joutard, Hay, Carignan. Dufort, négociants, M de Sales-Laterrière, directeur des forges de Saint-Maurice, et M Pellion, furent détenus a bord de vaisseaux de guerre, a Quebec, ou jetés dans les cachots, sans qu'on leur eut donné connaissance des accusations portées contre eux . Les prisons ne pouvant bientot plus suffire, le couvent des récollets fut ouvert pour recevoir les nouveaux suspects Un nommé Andre y fut detenu dix-huit mois au pain et a l'eau, sans que sa femme sût ce qu'il était devenu Les prisonniers demandaient vainement leur procès ou leur liberté, on était sourd à leurs prières, et quand enfin le gouvernement avait reconnu leur innocence croyait les avoir assez punis, ou ne craignait plus leurs idees, il les élargissait sans leur donner aucune explication. » (GARNEAU, *Hist du Canada*)

Du Calvet fut arrêté le 27 juillet 1780. Après deux ans et huit mois de détention, il fut remis en liberté, sans qu'on lui eût

même dit quel était son crime C'est en juillet 1784 qu'il lança
son livre à Londres, — livre écrit en prison probablement

« Je le regarde, dit Benjamin Sulte, dans une note inédite, comme celui
qui a le plus contribué à faire entrer les ministres de Londres dans la
voie qui aboutit à notre constitution de 1791 »

(35) « On n'avait que trois cents Canadiens et quelques Écossais et sauvages a opposer sur ce point (Châteauguay), aux sept mille Américains qui
arrivaient avec Hampton Mais le colonel de Salaberry était un officier expé-
rimenté et doué d'un courage a toute épreuve . Telle était l'ardeur de ses
gens, qu'on vit des voltigeurs traverser la rivière à la nage, sous les balles,
pour aller forcer les Américains à se rendre prisonniers. Hampton, dont
toutes les mesures étaient dérangées, et qui croyait les Canadiens beaucoup
plus nombreux qu'ils ne l'étaient, prit alors la résolution d'abandonner la
lutte Ainsi, trois a quatre cents hommes en avaient vaincu sept mille après
un combat opiniâtre de quatre heures   La victoire de Châteauguay eut
toutes les suites d'une grande bataille, et a la nouvelle de la retraite du général Hampton, Wilkinson, dont l'armée était a Cornwall et à Saint-Regis,
sur le Saint-Laurent, convoqua aussitôt un conseil de guerre Il y fut dé-
cidé que l'attaque de Montréal serait abandonnée . Ainsi la résistance heu-
reuse de quelques compagnies de milice détermina la retraite d'une armée
de quinze a vingt mille hommes, et fit manquer le plan d'invasion le mieux
combiné que la République des États-Unis eût encore formé pour la conquête du Canada » (GARNEAU, Hist du Canada.)

(36) Louis-Joseph Papineau, né en 1786, mort en 1871. L'un
des plus nobles caractères et peut-être le plus grand orateur
qu'ait produit l'Amérique

(37) La bataille de Saint-Denis fut livrée le 23 novembre 1837,
le colonel Gore y commandait les Anglais

(38) Historique.

(39) Beaucoup n'avaient point d'armes, ils s'en plaignirent a Chénier,

qui leur répondit froidement — « Soyez tranquilles, il y en aura de tués
parmi nous, vous prendrez leurs fusils » (GARNEAU, *Hist. du Canada.*)

(40) Historique.

(41) Quatre-vingt-dix-neuf furent condamnés à mort, mais on
n'en exécuta que douze. Voici leurs noms : — *Cardinal,* député:
De Lorimier, notaire, *Duquet,* vingt et un ans, étudiant, *Nicolas,*
Hamelin, Daunais, Robert, Narbonne, De Coigne, les deux *San-*
guinet, et enfin *Charles Hindelang,* jeune Français auquel l'auteur
consacre une pièce en particulier. Les autres furent envoyés en
exil, d'où ils ne revinrent qu'au bout de six ans.

(42) Les insurgés s'étaient fabriqués des canons en chêne
cerclé de fer. Ils ne purent même pas s'en servir, un traître les
ayant encloués.

(43) Un soir, que l'auteur avait lu cette pièce en présence de
quelques personnes distinguées de Nantes, où les lettres ont tant
de fidèles, et le patriotisme tant d'admirateurs, il trouva, sur le
dos de son manuscrit, les vers suivants, qui venaient d'y être
crayonnés au courant de l'improvisation :

> O Canada français, perle du nouveau monde,
> Toi qui fus notre enfant, espère en l'avenir ;
> Dans nos esprits fougueux la mémoire est profonde,
> Et nous n'avons jamais perdu ton souvenir.
>
> Sur tous nos autres fils, fier de ton droit d'aînesse,
> Tu gardes notre empreinte avec un soin jaloux ;
> Et, puisque sur ton front brille encor la jeunesse
> Tu dois avoir aussi l'espérance attends-nous !
>
> A notre Alsace en deuil comme à notre Lorraine
> Qui gémissent toujours aux serres des vainqueurs,

Demande si le temps peut glacer notre verre,
Si l'ombre de l'oubli peut envahir nos cœurs !

Vers la douce lueur de ta lointaine terre,
La France jette aussi ses regards éperdus,
Et dit, en te pleurant comme pleure une mère
— Mes fils les plus aimés sont ceux que j'ai perdus !

Ces strophes étaient signées *Adine Riom*, — un nom qui serait bien connu dans les lettres françaises, s'il n'avait été trop souvent voilé sous les pseudonymes de *Louise d'Isole* et de *Comte de Saint-Jean* Que celle qui les a tracées accepte cette reproduction comme un remerciement ému, chaudement exprimé au nom du petit peuple dont ce livre a la prétention d'esquisser la patriotique légende. M Auguste-E Aubry, dont il est fait mention dans cette pièce, est maintenant professeur à l'Université catholique d'Angers.

(44) *La Capricieuse,* corvette commandée par M de Belvèze, et qui mouilla dans le port de Québec le 13 juillet 1855, était le premier vaisseau de guerre français qui fût entré dans les eaux du Saint-Laurent depuis la cession du pays à l'Angleterre. Sa visite fut le signal de fêtes interminables et des démonstrations les plus touchantes. Cette pièce était adressée aux marins de la *Magicienne* et du *Dumont d'Urville,* qui visitèrent Montréal en 1882

(45) Cet épisode est absolument historique

(46) Les Métis du Nord-Ouest, qui avaient pour chef Louis Riel, sont descendants de Français unis à des Indiennes Ils forment une race à part

(47) La nation a répondu à cette attente de l'auteur Les élections d'octobre 1885 ont condamné le gouvernement de Québec,

qui avait été trop faible pour protester contre l'exécution de Louis
Riel, et porté au pouvoir une coalition de nationaux sous la conduite du chef libéral, M. Honoré Mercier, que le gouvernement
français vient de faire commandeur de la Légion d'honneur.
M. Mercier est non seulement un orateur brillant et profond,
mais encore un homme d'État supérieur et un patriote ardent.
Sous sa conduite, le Canada français verra de beaux jours A
quelque chose malheur est bon

(48) C'est sur l'insistance barbare des orangistes que Louis
Riel a été exécuté, le 16 novembre 1885. Il ne faut pas confondre
cette secte fanatique et sanguinaire avec le reste de la population
anglaise du Canada. Malheureusement le gouvernement fédéral
tory, qui a sir John-A. Macdonald pour chef, est plus ou moins
à sa merci, et n'agit que trop souvent d'après ses inspirations

(49) C'est ainsi que Voltaire désignait le Canada, un pays qui
couvre une superficie presque aussi considérable que celle de
l'Europe entière, et qui, à cette époque, comprenait en outre
plusieurs des États les plus fertiles de l'Union américaine.

TABLE DES MATIÈRES

M. Gust

— 65 jours

de l'Eularaire

avec le joli présent

(39 ans)

Retour de

A. Quantin imprimeur
7 S.Benoit 7 à Paris